LE VIEUX-QUÉBEC À PIED

Escalier Casse-Cou et rue du Petit-Champlain (# 40 et 41)

MAUDE BONENFANT

LE
VIEUX-QUÉBEC
À PIED

Les heures
bleues

Catalogage avant publication de Bibliothèque et Archives nationales du Québec et Bibliothèque et Archives Canada

Bonenfant, Maude, 1976-

Le Vieux-Québec à pied

ISBN 978-2-922265-50-7

1. Vieux-Québec (Québec, Québec) - Guides. 2. Vieux-Québec (Québec, Québec) - Circuits touristiques.

FC2946.18.B66 2007   917.14'471045   C2007-940769-2

Infographie et mise en pages : Étienne Lavallée
Photographies: Maude Bonenfant

Distribution pour le Canada :
Diffusion Dimedia
539, boul. Lebeau
Saint-Laurent (Québec)
H4N 1S2

LES HEURES BLEUES
C.P. 219, Succ. De Lorimier
Montréal
H2H 2N6

Dépôt légal - Bibliothèque et Archives nationales du Québec, 2007
Bibliothèque et Archives Canada, 2007

Les Heures bleues reçoivent pour leur programme de publication l'aide du Conseil des Arts du Canada et de la Société de développement des entreprises culturelles du Québec (SODEC). Les Heures bleues bénéficient du Programme de crédit d'impôt pour l'édition de livres du Gouvernement du Québec, géré par la SODEC.

Table des matières

Statue de Samuel de Champlain (# 5)

Introduction

S I Québec est l'une des villes les plus visitées en Amérique du Nord, ce n'est pas pour rien : le charme du Vieux-Québec est exceptionnel. Ville romantique, elle est une destination prisée des amoureux, mais aussi des familles et des touristes curieux de découvrir l'histoire. De nombreuses personnalités ont visité la ville : Charles Dickens, Alexis de Tocqueville, Franklin D. Roosevelt, Winston Churchill, Alfred Hitchcock, Richard Nixon, Charles de Gaulle, François Mitterrand, Elizabeth II, Ronald Reagan... En 1985, la ville est classée joyau du patrimoine mondial par l'UNESCO. Elle est la seule ville des États-Unis et du Canada à avoir conservé ses fortifications et ses bâtiments défensifs. Bien que la ville ait connu plusieurs conflits, elle possède encore de nombreuses constructions historiques. À chaque coin de rue, l'histoire de la ville, de la province, du pays et même de l'Amérique du Nord se déroule devant nos yeux. Cette histoire, les Amérindiens, Français, Anglais, Écossais, Irlandais et États-Uniens la partagent depuis 400 ans à Québec.

Samuel de Champlain, fondateur de la ville en 1608, avait bien vu tout le potentiel de ce lieu. Sa localisation sur le fleuve Saint-Laurent rend possible l'exploration du territoire et le transport des marchandises et des colons. Québec devient rapidement la porte d'entrée de tout le continent américain. De plus, le fleuve offre un avantage stratégique indéniable : vis-à-vis Québec, il devient plus étroit, ce qui facilite le contrôle de la voie maritime. Avec le cap Diamant, qui paraît inaccessible vu de la berge, on tire profit, du mieux que l'on peut, de ce système défensif naturel. Le développement de la ville épouse la topographie naturelle du territoire, divisant le Vieux-Québec entre la Haute-Ville, fortifiée, et la Basse-Ville, ouverte sur le commerce maritime. Il faut être en forme pour parcourir toute la Vieille Capitale, mais vos efforts ne seront pas vains et vous serez récompensé par les nombreuses découvertes que vous ferez !

INFORMATIONS GÉNÉRALES

Centre infotouriste de Québec

Ministère du Tourisme du Québec
12, rue Sainte-Anne (en face de la place d'Armes)
Téléphone sans frais (au Canada et aux États-Unis) :
1-877-BONJOUR (1-877-266-5687)
Ouvert tous les jours de 9h à 17h
(pendant l'été : de 8h30 à 19h30)

Bureau d'information touristique

835, avenue Wilfrid-Laurier (à côté du Manège militaire)
Ouvert tous les jours de 9h à 17h

Carte Musées de Québec

Au coût de 40 $, cette carte vous permet d'entrer dans plusieurs musées ou attraits touristiques pendant 3 jours. D'autres avantages sont aussi offerts. Vous pouvez vous procurer la carte dans plusieurs musées ou lieux historiques.

Bureau de poste

5, rue du Fort
Téléphone : 1-800-267-1177
Ouvert du lundi au vendredi de 8h à 19h30 et le samedi et le dimanche de 9h30 à 17h

Journaux

Les principaux journaux de la ville de Québec sont *Le Soleil* et *Le Journal de Québec*, en plus des quotidiens de Montréal tels que *La Presse* et *Le Devoir*. L'hebdomadaire *Voir* est distribué gratuitement et propose toutes sortes d'activités à faire au cours de la semaine.

Aéroport international Jean-Lesage

Téléphone : 418-640-2600
Sur son site web, vous trouverez des informations complètes sur les départs et les arrivées ainsi que des plans pour s'y rendre.
www.aeroportdequebec.com

Gare du Palais

Via Rail Canada
450, rue de la Gare-du-Palais
Téléphone : 1-888-842-7245 (sans frais)
www.viarail.ca

Gare d'autocars de la Vieille Capitale

Autocars Orléans Express (principale compagnie)
320, rue Abraham-Martin
Téléphone : 418-525-3000

Port de Québec

150, rue Dalhousie
Téléphone : 418-648-3640
www.portquebec.ca

Autobus urbains : Réseau de transport de la capitale (RTC)

Téléphone : 418-627-2511
Des laissez-passer d'une journée sont disponibles. Sur son site
web, vous trouverez tous les trajets, les horaires ainsi que les
tarifs (environ 2,50 $ par billet).
www.rtcquebec.ca

Taxis

Les Taxis Coop
Téléphone : 418-525-5191
Fait intéressant : ce service de taxi offre des tours guidés de la
ville.

Tours guidés en autobus

Québec Tours
Téléphone : 418-836-8687, 1-800-672-5232
www.quebec-tours.com
Dupont Tours
Téléphone : 418-649-9226, 1-888-558-7668
www.tourdupont.com
Les tours du Vieux-Québec
Téléphone : 418-664-0460, 1-800-267-8687
www.toursvieuxquebec.com

Stationnement

De nombreux stationnements sont offerts dans le Vieux-Québec. Par exemple, vous trouverez un stationnement à l'Hôtel de ville, au château Frontenac, à la place D'Youville, à l'édifice Marie-Guyart et sur les quais du Vieux-Port (en face du Musée de la civilisation).

COMMENT UTILISER CE GUIDE

Circuits

Sept circuits sont offerts et, à un rythme moyen, tous pourraient se faire en trois jours (dans l'ordre ou non). Cependant, si vous avez moins de temps ou que vous né puissiez marcher beaucoup, voici quelques informations qui peuvent vous être utiles.

* Les principaux circuits sont 1, 2 et 3 (et 7, mais il est à l'extérieur des murs).
* Le trajet 7 est le plus long.
* Les circuits demandant un effort physique plus intense sont 4, 6 et 7.

Si vous avez moins de temps

Faites les circuits 1, 2 et 3 et, à la fin du circuit 3, prenez le funiculaire pour remonter au Château Frontenac (au lieu de continuer vers le circuit 4).

Si vous avez plus de temps

Avant d'entreprendre votre visite, commencez par l'Observatoire de la Capitale (# 112) pour avoir une vue d'ensemble de la ville.

Circuits thématiques

À la fin du guide, vous avez des propositions de circuits ayant une thématique particulière (voir p. 103). Vous n'avez qu'à suivre les numéros les uns après les autres.

Épigraphes et panneaux d'interprétation

Surveillez bien les façades des maisons, car de nombreuses épigraphes sont visibles et n'ont pas été notées. La ville présente aussi de nombreux panneaux d'interprétation qui viendront compléter les informations présentes dans ce guide.

Rues

Les panneaux des rues de la Vieille ville présentent souvent un court résumé de l'origine de leur nom.

Rue Sous-le-Cap (# 69)

BREF HISTORIQUE DE LA VILLE

Il y a 3000 ou 4000 ans, le site aujourd'hui connu sous le nom de Place-Royale (dans la Basse-Ville de Québec) est occupé et fréquenté par les Amérindiens qui y pratiquent la pêche et le troc.

1534 :	Premier voyage de Jacques Cartier et fondation de la Nouvelle-France (sous François 1er). Cartier et son équipage hivernent à Stadaconé (le chef amérindien est Donnacona).
1608 :	(3 juillet) Fondation de la ville de Québec par Samuel de Champlain (sous Henri IV). Québec devient le premier vrai lieu d'établissement français.
1615 :	Arrivée des premiers missionnaires, les Récollets (franciscains).
1617 :	Les premiers colons de la ville de Québec s'installent en Haute-Ville (Louis Hébert et sa famille).
1625 :	Arrivée des missionnaires Jésuites.
1629 :	La colonie passe aux mains des frères Kirke (des Franco-anglais de Dieppe).
1633 :	La colonie redevient française (sous Louis XIII).
1639 :	Arrivée des religieuses augustines (soins de santé) et ursulines (éducation) sur le même bateau, le Saint-Joseph.
1645 :	La ville ne regroupe pas plus de dix bâtiments (sous Louis XIV).
1659 :	Arrivée à Québec de Monseigneur François de Montmorency-Laval, premier évêque catholique.
1663 :	Fondation du Séminaire de Québec.
1663 à 1673 :	Arrivée de 770 « filles du Roy » qui font tripler la colonie en peu de temps.
1666 :	La ville compte alors 547 habitants.
1681 :	La ville compte désormais 1345 habitants.

1688 :	Début de la construction de l'église de l'Enfant-Jésus – qui deviendra Notre-Dame-des-Victoires en 1711.
1690 :	Échec de l'attaque de Québec par l'amiral Sir William Phips (troupes britanniques) et les 2000 miliciens du Massachussetts.
1690 et 1693 :	Construction des deux premières fortifications.
1745 :	Construction d'une troisième fortification (sous Louis XV).
1755 :	La ville compte environ 7000 habitants (l'Amérique française, entre 60 000 et 70 000 et l'Amérique anglaise, environ 1 200 000).
1759 :	La France et l'Angleterre se battent en Nouvelle-France (guerre de Sept Ans). Le 13 juillet : Bataille de Beauport (victoire des troupes françaises). Siège de Québec : les troupes anglaises bombardent Québec, depuis Lévis, pendant trois mois. Le 13 septembre : Bataille des plaines d'Abraham entre les généraux Wolfe (troupes britanniques) et Montcalm (troupes françaises) : défaite des Français. Québec passe aux mains des Britanniques.
1760 :	Bataille de Sainte-Foy.
1763 :	Le Traité de Paris met fin à la guerre de Sept Ans entre la France et l'Angleterre ; le Canada devient officiellement une colonie anglaise (la Conquête).
1765 :	Fondation de la Congrégation écossaise presbytérienne.
1774 :	L'Acte de Québec entérine l'assouplissement des lois britanniques pour ses nouveaux sujets francophones (sous George III).

1775 :	Tentative des troupes américaines de prendre possession de Québec.
1791 :	Entrée en vigueur de l'Acte constitutionnel qui sépare la colonie anglaise entre le Haut-Canada (principalement anglophone) et le Bas-Canada (principalement francophone). Québec est la capitale du Bas-Canada.
1793 :	Arrivée à Québec du révérend Jacob Mountain, premier évêque anglican.
1820 :	Construction de la Citadelle de Québec (lord Malborough).
1831 :	Québec compte près de 30 000 habitants.
1832 :	Épidémie de choléra.
1837-1838 :	Rébellion des Patriotes (révolte armée des « Canadiens » contre le pouvoir britannique).
1840 :	Réunification du Haut et du Bas-Canada par l'Acte d'Union qui crée le Canada-Uni.
1840-1850 :	Arrivée massive d'immigrants irlandais à Québec.
1847 :	Épidémie de typhus.
1852 :	Fondation de l'Université Laval, première université francophone d'Amérique.
1856 :	Fondation de la communauté des sœurs du Bon-Pasteur.
1860-1900 :	Québec connaît un ralentissement dans son développement (entre autres à cause de l'augmentation des tarifs douaniers).
1867 :	L'Acte de l'Amérique du Nord britannique donne naissance au Canada en réunissant quatre provinces (Québec, Ontario, Nouvelle-Écosse et Nouveau-Brunswick).
1871 :	Départ de l'armée britannique (3 000 soldats).
1918 :	Épidémie de grippe espagnole.
1919 :	Ouverture officielle du pont de Québec.

1943-1944 :	Conférences de Québec réunissant Winston Churchill, Franklin D. Roosevelt et William Lyon Mackenzie King.
1954 :	Premier Carnaval d'hiver de Québec (festivité annuelle au mois de février).
Années 1960 :	Révolution tranquille qui transforme en profondeur les mentalités de la province : le Québec entre dans la « modernité ».
1976 :	Arrivée au pouvoir du Parti Québécois (parti souverainiste) avec René Lévesque comme chef du parti.
1980 :	Premier référendum sur la question de la souveraineté du Québec.
1984 :	Visite du pape Jean-Paul II.
1985 :	Québec est classée au patrimoine mondial de l'UNESCO.
1987 :	Québec est l'hôte d'un Sommet de la Francophonie.
1995 :	Deuxième référendum sur la question de la souveraineté du Québec.
2001 :	Québec est l'hôte du Sommet des Amériques.
2002 :	Création de la nouvelle ville de Québec (fusion des villes de la banlieue avec la ville de Québec). La ville compte environ 480 000 habitants.
2008 :	Festivités du 400ᵉ anniversaire de Québec. Juin : Congrès eucharistique mondial.

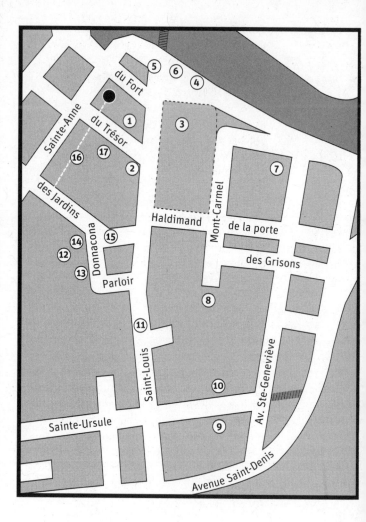

Circuit 1

Le Château Frontenac et le monastère des Ursulines

DÉPART : PLACE D'ARMES

1. Place d'Armes

La place d'Armes acquiert son nom officiellement en 1660, bien qu'on lui donne d'autres noms au cours des siècles suivants : place du Fort, place du Château et Grande Parade. Autrefois lieu de parades militaires sous le régime français puis le régime anglais, la place d'Armes perd ce statut seulement au XIXᵉ siècle, lors de la construction de la Citadelle. La place devient un parc public en 1865 et on y installe, en 1916, le Monument de la Foi. Cette fontaine est érigée pour commémorer le tricentenaire de l'arrivée, en 1615, de quatre Récollets (Franciscains), considérés comme étant les premiers missionnaires en Nouvelle-France. Le père Dolbeau et le frère Duplessis construisent, dès leur arrivée, une chapelle près de l'*Abitation* (1608) de Champlain. Le père Caron fonde une mission en Huronie et y célèbre la première messe. Quant au père Jamet, il est le premier supérieur de la mission canadienne et célèbre, en 1625, une première messe au Sault-au-Récollet (à Montréal) à laquelle assiste Samuel de Champlain. La statue mesure 2,7 mètres et pèse plus de 1800 kilos. Elle a été fondue à partir d'un moule qui provient de l'Institut catholique de Vaucouleurs en France et symbolise la foi chrétienne.

2. Édifice Gérard-D.-Lévesque

En face de la place d'Armes, au coin de Saint-Louis, se trouvaient autrefois le couvent et la chapelle des Récollets. Ces missionnaires acquièrent, grâce à l'autorisation de Monseigneur de Saint-Vallier (deuxième évêque de Nouvelle-France), un terrain pour construire leurs bâtiments, mais, en 1796, ceux-ci sont complètement incendiés. Après la Conquête (1759), les terrains sont confisqués par la Couronne britannique qui décide de construire, en 1800, un palais de justice à l'emplacement du couvent (l'architecte est François Baillairgé). Incendié en 1873, le palais est reconstruit entre 1883 et 1887 et demeure un palais de justice de 1887 à 1983. Il loge aujourd'hui le ministère des Finances du Québec et a pris le nom d'édifice Gérard-D.-Lévesque, en l'honneur de l'ancien homme politique au gouvernement du Québec (entre 1956 et 1993). Quant à l'ancien emplacement de la chapelle, on décide d'y construire la Cathédrale anglicane de la Sainte-Trinité.

3. Château Frontenac

À l'emplacement du Château Frontenac (ou plus exactement sur la terrasse Dufferin, près du funiculaire) se trouvait autrefois le fort Saint-Louis, construit par Champlain à partir de 1620. Transformé par la suite en forteresse puis en château, il sert de résidence aux gouverneurs de la colonie entre 1648 et 1834. À côté du château Saint-Louis, on construit, à partir de 1784, le château Haldimand, du nom du gouverneur qui décide de bâtir cette nouvelle résidence pour les gouverneurs. En 1834, le château Saint-Louis est entièrement détruit par le feu. En 1892, on rase le château Haldimand pour faire place au futur château Frontenac. Vous pouvez voir un vestige de cet ancien château Saint-Louis dans la cour intérieure du château Frontenac, au-dessus de la porte cochère : une croix de Malte taillée dans la pierre et peinte en rouge. Charles Huault de Montmagny, gouverneur après Champlain de 1636 à 1648, est chevalier de l'Ordre de Malte. Vous accédez à la cour intérieure par l'arche dont l'ouverture donne sur la rue Saint-Louis, directement devant la place d'Armes.

Le château doit son nom à Louis de Buade, comte de Palluau et de Frontenac (1622-1698), gouverneur de la Nouvelle-France de 1672 à 1682 et de 1689 à 1698. Il est célèbre pour sa réplique à l'amiral anglais Phips qui voulait prendre possession de Québec. Partis de Boston avec 32 navires, Phips arrive devant Québec le 16 octobre 1690 et envoie un émissaire pour demander la reddition de la colonie. Frontenac fait d'abord preuve de ruse (il bande les yeux de l'émissaire et lui fait croire à une foule – prête à se battre – beaucoup plus nombreuse qu'elle ne l'est en réalité...), puis reçoit l'émissaire de Phips dans le château Saint-Louis. Il répond à l'émissaire : « Je n'ai point de réponse à faire à votre général que par la bouche de mes canons et à coups de fusil ; qu'il apprenne que ce n'est pas de la sorte qu'on envoie sommer un homme comme moi... ». Depuis, répondre « par la bouche de ses canons » est devenue une expression consacrée ! Mais Frontenac est aussi célèbre pour s'être vanté d'avoir partagé les faveurs d'une maîtresse de Louis XIV, Madame de Montespan, et pour avoir demandé, à sa mort, qu'on envoie son cœur à son épouse, demeurée en France : celle-ci, qui a été séparée de son mari pendant une partie de sa vie, aurait refusé le présent et l'aurait fait renvoyer ! Tout un personnage, ce Frontenac...

Symbole incontestable de la ville de Québec, le Château Frontenac est aujourd'hui un hôtel luxueux qui a servi, entre autres, de décor au film *I Confess* (1953) d'Alfred Hitchcock. Construit pour la Chateau Frontenac Company par l'architecte new yorkais Bruce Price, il est acheté par la compagnie ferroviaire Canadian Pacific et inauguré en 1893. Il connaît de nombreux agrandissements dont l'ajout de la tour centrale en 1924. Il compte aujourd'hui 18 étages et plus de 600 chambres. Deux restaurants principaux se trouvent dans le château : *Le Champlain*, dont le chef est Jean Soulard, et le *Café de la Terrasse* (dont les prix sont plus abordables).

Vous pouvez aussi y prendre le thé à l'anglaise, l'après-midi du lundi au samedi (réservations au 418-266-3905). Des visites du château sont également proposées par des guides costumés (durée de 50 minutes), ce qui donne un air théâtral à la visite.

Informations : 418-691-2166

Heures des visites en français : à chaque heure, entre 10h et 18h (du 1er mai à la mi-octobre)

Les samedis et dimanches à chaque heure entre 12h et 17h (de la mi-octobre au 30 avril)

Droits d'entrée : adultes 8 $ – aînés 7,25 $ – enfants 5,50 $

4. Terrasse Dufferin

Le gouverneur Lord Durham (1792-1840) fait construire, dès 1838, une première terrasse sur les ruines du château Saint-Louis incendié en 1834. En 1879, on inaugure la nouvelle terrasse, agrandie. Elle doit son nom à Lord Dufferin (1826-1902), gouverneur général du Canada de 1872 à 1878. Ce serait lui qui aurait sauvé les fortifications d'une destruction planifiée par les autorités. Depuis 1894, la terrasse accueille, en hiver, sa célèbre glissade. À l'extrémité sud-ouest de la terrasse, vous trouverez la Promenade des Gouverneurs (#120), soit des escaliers qui encerclent la Citadelle de Québec (#101) et vous mènent au Parc des Champs-de-Bataille (#118).

En vous approchant de la rambarde de la terrasse, vous aurez un beau coup d'œil sur la Basse-Ville, car vous vous trouvez au haut de la falaise appelée « le cap » et que Champlain appelait souvent « la montagne ». De l'autre côté du fleuve, en face de vous, vous pouvez voir la ville de Lévis d'où une partie de l'artillerie anglaise bombarde Québec en 1759. En aval, soit à votre gauche, vous pouvez, par beau temps, voir l'île d'Orléans, le pont de l'île et les montagnes de Charlevoix. Le fleuve a été surnommé le « boulevard du pays », car il sert, dès les débuts de la colonie, de moyen de transport, de communication et d'échange. Il a donc toujours joué un rôle de premier plan dans le développement du Nord-Est de l'Amérique et, aujourd'hui encore, plus de 3 000 navires utilisent cette voie annuellement pour relier l'Atlantique aux Grands Lacs.

5. Statue de Samuel de Champlain

L'immense statue au coin du château (près du funiculaire) représente Samuel de Champlain, considéré comme étant le « Père de la Nouvelle-France ». Né en 1570 à Brouage, près de La Rochelle, en France, Champlain, explorateur et géographe, convainc Henri IV de fonder une colonie en Nouvelle-France. Champlain traverse l'Atlantique pour une seconde fois. Après l'Acadie, il pénètre dans la vallée du Saint-Laurent. Le 8 juillet 1608, il fonde Québec, nom donné à ce promontoire utilisé par les Amérindiens (le nom « Québec » aurait le sens de « là où le fleuve se rétrécit » ou alors de « débarque ! », selon les historiens ou les linguistes). Champlain veut en faire un poste de traite des fourrures permanent et construit un bâtiment appelé l'« Abitation de Quebecq ». L'Abitation, ce sont trois maisons de deux étages et un magasin d'un étage disposés en U autour d'une petite cour fermée. Les bâtiments sont en partie préfabriqués en France. L'Abitation est protégée par des remparts de terre et un fossé qu'un pont-levis permet de franchir. Deux plates-formes à canon et un tour de guet complètent l'ensemble. Au début, l'Abitation abrite 28 hommes, mais, avec l'arrivée de l'hiver, le scorbut fait 16 victimes. En outre, Jean Duval, un des hommes présents, veut tuer Champlain pour vendre la colonie aux Espagnols, mais est déjoué et exécuté. Si vous avez l'occasion de voir le film *New World* (*Le nouveau monde* – 2005) de Terrence Malick, vous aurez une bonne idée de l'ambiance qui pouvait régner dans ce genre d'endroit. Car, comme si la tension n'était pas suffisante, la guerre avec les Amérindiens pousse Champlain à s'allier avec les Hurons et les Algonquins, contre les Iroquois (ces derniers s'allieront avec les Anglais). En 1619, Champlain devient lieutenant-gouverneur de Québec et les premiers bâtiments de pierre sont construits en 1623. Champlain meurt le 25 décembre 1635 dans l'ancien fort Saint-Louis. Son cercueil a été placé dans la chapelle Notre-Dame-de-la-Recouvrance (# 25), mais, bien que de nombreuses fouilles aient été faites, on en ignore encore aujourd'hui l'emplacement exact.

La statue érigée en son honneur est une œuvre de Paul Chevré, un sculpteur parisien, et est réalisée en France entre 1896 et 1898. D'une hauteur totale de 14 mètres, la statue proprement dite mesure 4,5 mètres. Son socle est fait de pierre de Château-Landon, soit les mêmes pierres que l'Arc de Triomphe et la basilique du Sacré-Cœur de Montmartre de Paris. Malheureusement, ces pierres ont des problèmes de résistance au froid et le monument a dû être restauré en 2006-2007. L'ange, sur le socle, symbolise la proclamation de la gloire du « Père de la Nouvelle-France ». Ne vous fiez pas aux traits du visage de la statue puisqu'il n'existe aucun portrait authentifié de Champlain. En fait, il s'agirait plutôt du visage de Michel Particelli d'Émery (1596-1650), contrôleur des finances accusé de fraude sous Louis XIV...

Non loin de la statue, vous pouvez voir un monument soulignant l'inscription de Québec comme joyau du patrimoine mondial par l'UNESCO (United Nations Educational, Scientific and Cultural Organization ; Organisation des Nations unies pour l'éducation, la science et la culture) en 1985.

6. Funiculaire

À partir de la terrasse Dufferin, près de la statue de Samuel de Champlain, un funiculaire relie la Haute-Ville à la Basse-Ville. Ce funiculaire est le seul du genre au Canada. Il a une hauteur d'environ 60 mètres sur une distance de 64 mètres à un angle de 45°. Le premier funiculaire, fonctionnant à la vapeur, est construit en 1879 par William Griffith. Il était alors utilisé seulement six mois par année. Électrifié en 1907 grâce à Alexander Cummings, il brûle entièrement en 1945, mais est immédiatement reconstruit en le recouvrant de métal. En 1998, il sera rénové à la fine pointe de la technologie.

Une entrée se trouve sur la terrasse Dufferin, à côté du Château Frontenac et l'autre, au bas de la ville, dans le quartier Petit-Champlain, dans la maison Louis-Jolliet (# 43). Si vous faites la descente, ne manquez pas de remarquer, à droite, sous la terrasse Dufferin, un des postes de garde des anciennes fortifications du château Saint-Louis.

Informations : 418-692-1132
Heures d'ouverture : tous les jours de 7h30 à 23h30 (environ)
Droits d'entrée : 1,50 $ par personne

7. Jardin des Gouverneurs

Marchez vers l'autre extrémité de la terrasse Dufferin. Vous passerez devant un espace vert, limitrophe du château Frontenac et surélevé par rapport à la terrasse (des escaliers vous permettent de vous y rendre). Ce jardin, aménagé en 1647, apparaît dans les plans de la ville dès 1660, faisant de lui le plus ancien jardin officiel d'Amérique du Nord. Le jardin se situait juste à l'intérieur de la première palissade construite en 1690 de l'autre côté de l'avenue Sainte-Geneviève. Entouré de murets, il était autrefois réservé aux gouverneurs, mais est ouvert au public depuis 1838.

Dans ce petit jardin, vous pouvez voir un obélisque en hommage au général de l'armée française, Louis Joseph de Saint-Véran, Marquis de Montcalm (1712-1759), et au général de l'armée anglaise, James Wolfe (1727-1759), qui se sont battus lors de la bataille de 1759 et qui sont morts les 13 et 14 septembre. L'inscription, rédigée par le Dr John Carlton Fisher, journaliste, est écrite en latin (« Leur courage leur a donné le même sort ; l'histoire, la même renommée ; la postérité, le même monument »). C'est le plus ancien monument commémoratif de Québec puisqu'il est érigé en 1827 à l'initiative de lord Dalhousie, gouverneur du Canada. Il est le premier signe d'un rapprochement entre les francophones et les anglophones de la ville (après la Conquête de 1759).

8. Parc du Cavalier-du-Moulin

Passé le petit parc, au coin de la rue des Carrières et de l'avenue Sainte-Geneviève, se trouve le Consulat général des États-Unis, un bâtiment de briques orangées qui date de 1935. Marchez sur la rue Mont-Carmel, le long du château Frontenac et du Parc des Gouverneurs, et dépassez la rue Haldimand, pour vous rendre au bout de la rue. Vous arriverez au parc du Cavalier-du-Moulin. Le parc se situe sur une butte officiellement appelée le Mont Carmel depuis 1640. En 1663, Simon Denis de La Trinité élève un moulin à vent construit en pierre. Dans les années 1690, les troupes françaises l'entourent d'une muraille et ajoutent trois canons. Cet ouvrage militaire, appelé « cavalier », surplombe les alentours. Il est devenu une redoute durant le siège de Québec (1759).

Revenez sur vos pas et prenez la rue des Grisons à droite. Cette rue est ainsi baptisée en 1689, alors que des ânes (des grisons) se rendaient au moulin de la butte du Mont Carmel. À l'avenue Saint-Denis, tournez à droite. L'espace vert, de l'autre côté de la rue, ainsi que les fortifications que vous voyez, au haut de la butte, appartiennent à la Citadelle de Québec (# 101). Poursuivez votre route sur Saint-Denis jusqu'à un escalier, à votre droite. Le début de la rue Sainte-Ursule se situe au pied de l'escalier. Engagez-vous sur Sainte-Ursule et rendez-vous devant les deux églises.

9. Église Unie Chalmers-Wesley – Église Unie Saint-Pierre

La plus grosse église, à votre gauche, est l'Église Unie Chalmers-Wesley – Église Unie Saint-Pierre qui regroupe deux congrégations protestantes. Sous le régime français, les protestants français n'avaient pas le droit de vivre au Canada et, donc, d'y pratiquer leur culte. Après la Conquête anglaise, ils profitent de la liberté de religion et fondent la paroisse presbytérienne de Saint-Jean. De leur côté, les protestants anglophones de Chalmers-Wesley s'installent sur les lieux dès la Conquête, mais les cultes organisés autour d'un pasteur ne débutent qu'en 1800. Au début, le culte avait lieu dans une maison louée, mais, à partir de 1816, une première église, la St.John Church de la rue Ferland leur appartient. En 1853, ils déménagent dans l'église Chalmers (nommée d'après un théologien écossais). Cette église réunit, depuis 1931, la communauté méthodiste Wesley à la communauté presbytérienne Chalmers sous la bannière de l'Église Unie du Canada (1925). Puis, depuis 1987, l'église abrite la paroisse francophone de Saint-Pierre et la paroisse anglophone de Chalmers-Wesley. Le bâtiment date de 1853 et les beaux vitraux, conçus par W.J. Fischer, ont été réalisés entre 1905 et 1913. L'intérieur est reconnu pour son acoustique exceptionnelle et la tradition musicale et chorale est un aspect important de cette église. Des concerts sont offerts au grand public tous les dimanches soirs de l'été, à 18h.

Informations : 418-692-3422

10. Sanctuaire Notre-Dame du Sacré-Cœur

Faisant face à l'Église Unie Chalmers-Wesley, le Sanctuaire Notre-Dame du Sacré-Cœur est de confession catholique. Édifié en l'honneur de la Vierge Marie par les Missionnaires du Sacré-Cœur, il est construit en 1909 et 1910 par l'architecte François-Xavier Berlinguet (1830-1916) et les vitraux sont conçus par Henri Perdriaux. La chapelle est une réplique de la Chapelle Notre-Dame du Sacré-Cœur d'Issoudun (France), d'où origine ce culte et où ont été fondés les

Missionnaires du Sacré-Cœur, gardiens du sanctuaire. En 1902, les Missionnaires s'installent dans le bâtiment de la rue Sainte-Ursule.

Heures d'ouverture : 7h à 20h
Droits d'entrée : gratuit

11. Rue Saint-Louis

Continuez sur la rue Sainte-Ursule jusqu'à la rue Saint-Louis et tournez à droite. La rue Saint-Louis fait référence au fort Saint-Louis (# 3) qui lui, honore fort probablement Louis XIII (1601-1643), roi de France. La rue, tracée en 1630, a été cependant redressée au XIXᵉ siècle, sous le régime anglais. Au coin de la rue du Corps-De-Garde, remarquez le boulet retenu par les racines d'un arbre. On raconte que ce boulet daterait de la guerre de 1759 (il est anglais, car seuls les Anglais tiraient des boulets de 32 livres – # 32) et serait réapparu à l'air libre grâce à la croissance de l'arbre (ou grâce à quelqu'un qui l'aurait placé à cet endroit...). Au fond, le mur de pierre que vous voyez, avec des arbres au sommet, est le parc du Cavalier-du-Moulin et le bâtiment tout juste à votre droite est le lieu où Montcalm a rendu son dernier soupir (les Ursulines ont gardé pendant longtemps le crâne de Montcalm comme relique).

Au coin de la rue des Jardins (qui porte son nom depuis le XVIIᵉ siècle), de l'autre côté de la rue Saint-Louis, se trouve le restaurant *Aux anciens Canadiens*. Il doit son nom au roman du même nom de Philippe-Joseph Aubert de Gaspé (1796-1871), écrivain célèbre qui a habité cette maison de 1815 à 1824. La maison a été construite en 1674 pour le maître couvreur François Jacquet dit Langevin et serait une des plus vieilles (sinon, la plus vieille) maisons du Vieux-Québec.

Au numéro 25 de la rue Saint-Louis, coin Haldimand, vous trouverez le Consulat de France. Dans cette maison a été signée la capitulation de Québec, le 18 septembre 1759 et le duc de Kent y a séjourné de 1791 à 1794.

12. Monastère des Ursulines

Revenez sur vos pas jusqu'à la rue du Parloir et tournez à droite. Devant vous se trouve le monastère des Ursulines, sur la rue

Donnacona (du nom du chef amérindien de Stadaconé qui a été enlevé par Jacques Cartier en 1536 et exilé en France : il ne reviendra jamais en Amérique). La Compagnie de Sainte Ursule, fondée en 1535 en Italie, est transformée en ordre religieux en 1612, à Paris. L'ordre s'établit à Québec en 1639 grâce à Marie Guyart. Née à Tours, en France, en 1599, Marie Guyart se marie et a un fils, mais après la mort de son mari, décide d'entrer chez les Ursulines en 1631 pour devenir Marie de l'Incarnation en 1633. Elle arrive à Québec en 1639 pour y fonder, avec deux autres Ursulines et Madame de la Peltrie, le premier monastère d'Ursulines et la première école pour filles en Amérique du Nord. Comme supérieure du monastère, elle travaille non seulement avec des filles francophones, mais aussi avec des Amérindiennes et apprend quatre langues autochtones pour mieux communiquer avec les Amérindiens. Pendant 33 ans, elle travaillera pour le bien de la colonie et sera considérée comme la « Mère de la Nouvelle-France ». Elle meurt en 1672 et est béatifiée en 1980 par le pape Jean-Paul II.

La première aile du monastère, l'aile Saint-Augustin, est construite en 1642, mais douze autres ailes seront ajoutées au fil des siècles. Avec huit autres ajouts, cet ensemble constitue aujourd'hui le monastère, toujours occupé par la communauté religieuse, mais fermé aux visiteurs. Seule la chapelle, jouxtant le Centre Marie-de-l'Incarnation, est accessible de mai à octobre. Vous y verrez le tombeau de Marie de l'Incarnation.

Informations : 418-694-0413
Heures d'ouverture : du mardi au samedi de 10h à 11h30 et de 13h30 à 16h30 et le dimanche de 13h30 à 16h30 (fermé en décembre et janvier)
Droits d'entrée : gratuit

Petite anecdote amusante : suite à la Conquête de 1759, les Highlanders, militaires d'origine écossaise qui combattaient aux côtés des troupes anglaises, aident, durant l'hiver 1759-1760, les Ursulines à s'approvisionner en bois de chauffage. Cependant, les religieuses, considérant leur costume (le kilt...) inapproprié pour un climat nordique et, il faut le dire, pour des yeux chastes, décident de tricoter des chaussettes plus hautes pour les militaires. Ces chaussettes ont le même motif carrelé rouge et blanc que celles d'origine, mais cachent davantage de peau, ce qui fait le bonheur de tous. Certaines mauvaises langues racontent même que les Ursulines leur auraient tricoté des sous-vêtements...

13. Monument de Marie de l'Incarnation

Directement devant vous (vis-à-vis la rue du Parloir), vous pouvez voir le monument de Marie de l'Incarnation, œuvre du sculpteur Émile Brunet (1942). Il a été érigé pour commémorer le tricentenaire de l'érection du monastère des Ursulines et est dédié à Marie de l'Incarnation, considérée comme une des fondatrices de l'Église canadienne.

14. Musée des Ursulines et Centre Marie-de-l'Incarnation

Un peu plus loin sur la rue Donnacona, vous arriverez à la Chapelle, au Centre Marie-de-l'Incarnation (qui présente une exposition sur cette femme exceptionnelle) et au Musée des Ursulines. Le musée se trouve à l'emplacement des fondations de la maison de Madame de la Peltrie, une bienfaitrice laïque arrivée en Nouvelle-France avec Marie de l'Incarnation. Madame de la Peltrie fait construire, en 1644, sa maison juste à côté du monastère des Ursulines. D'ailleurs, en 1650 et en 1686, les Ursulines et leurs élèves doivent se réfugier dans cette maison après deux incendies du monastère. Par la suite, la maison est détruite et le musée est aujourd'hui situé dans un bâtiment datant de 1836. Ouvert en 1979, ce musée présente une exposition illustrant la vie religieuse et la vocation d'éducation des Ursulines. Vous pouvez y voir, en plus de l'ameublement de Madame de la Peltrie, toutes sortes d'objets qui évoquent la vie religieuse, la vie quotidienne ou la vie des Amérindiens ainsi que les échanges culturels entre eux et les Ursulines. Des visites guidées sont offertes.

Informations : 418-694-0694
Heures d'ouverture : du mardi au samedi de 10h à 12h et de 13h à 17h et le dimanche de 13h à 17h (de mai à septembre)
Du mardi au dimanche de 13h à 17h (d'octobre à avril)
Droits d'entrée : adultes 6 $ – aînés 5 $ – étudiants 4 $ – enfants : gratuit

15. Monument aux femmes enseignantes du Québec

Juste devant vous, sur un petit terre-plein à l'angle des rues Des Jardins, Du Parloir et Donnacona, vous verrez le monument aux femmes enseignantes du Québec érigé sur la place des Tourangelles. Inauguré en 1997, ce monument rend hommage à toutes les femmes, religieuses ou laïques, qui ont consacré leur vie à l'éducation au Québec. La main et la plume symbolisent la transmission du savoir et le don de soi. L'œuvre est de Jules Lasalle. Approchez-vous de la sculpture et remarquez à votre gauche la maison (au numéro 6) qui semble « coincée » entre les deux autres maisons. Construite en 1847, on dit qu'elle a la plus petite façade de pierre en Amérique.

16. Artisans de la Cathédrale
(esplanade de la cathédrale Holy Trinity)

Prenez la rue des Jardins et, un peu avant Sainte-Anne, tournez à droite sur le terrain de l'église. À côté de l'église, et longeant la rue Sainte-Anne, les petits kiosques que vous voyez regroupent les *Artisans de la Cathédrale*. Ce sont une quinzaine d'artisans qui présentent leurs créations, toutes faites à la main au Québec. Vous trouverez de jolis petits trésors uniques : bijoux, céramique, chapeaux, coffrets de bois, verre soufflé, vitraux et vêtements.

Ouvert tous les jours de 10h à 22h, du mois de juin jusqu'au début de septembre.

17. Cathédrale anglicane de la Sainte-Trinité
(Cathedral of the Holy Trinity)

L'église à côté de vous est la Cathédrale anglicane de la Sainte-Trinité (Cathedral of the Holy Trinity). Après la Conquête, les Anglais pratiquent leur culte dans la chapelle des Récollets, mais, après un incendie majeur en 1796, ils déménagent dans la chapelle des Jésuites, adjacente au collège (# 76). En 1793, l'évêque Jacob Mountain (1749-1825), considéré comme étant le fondateur de l'Église anglicane du Haut et Bas-Canada, débarque à Québec. Peu après son arrivée, il demande au roi George III la permission d'ériger une cathédrale pour son diocèse, permission qu'il reçoit en 1799. La cathédrale est bâtie selon le modèle de l'Église St.Martin-in-the-Fields à Londres (avec quelques modifications, dont l'angle du toit, pour éviter l'accumulation de neige) et le coût de sa construction est assumé par la Couronne anglaise. Elle est consacrée en 1804, faisant d'elle la première cathédrale anglicane construite en dehors des îles britanniques.

La tour de l'église, construite par le Capitaine William Hall et le Major William Robe, mesure 47 mètres et abrite 8 cloches (1830) activées manuellement et encore utilisées de nos jours. La plus lourde des cloches pèse 842 kilos et ce carillon est le plus ancien du Canada.

À l'intérieur de la cathédrale, de nombreux éléments témoignent de l'attachement de l'église à la tradition anglaise, comme par exemple les armoiries de George III. Remarquez les bancs qui se referment avec une porte, une rareté. Une des raisons de la présence de ces portes était d'empêcher les courants d'air pour conserver la chaleur des occupants. Le bois proviendrait de chênes de la forêt de Windsor. Remarquez aussi les vitraux se trouvant près de l'autel, réalisés en Angleterre par Clutterbuck and Co. Expédiés à Québec dans des barils de mélasse pour les protéger durant le voyage, ils sont dédiés, en 1864, à la mémoire du troisième évêque de Québec, le Dr George Jehoshaphat Mountain. Quant aux trônes épiscopal et royal, ils sont construits grâce au bois du vieil orme qui se trouvait autrefois à côté de la Chapelle des Récollets (à l'emplacement de la cathédrale). On raconte que les Récollets évangélisaient les Amérindiens à l'ombre de cet arbre.

Dans la crypte de l'église reposent, entre autres, l'évêque Jacob Mountain et Charles Lennox (1764-1819), le quatrième Duc de Richmond et Lennox, Gouverneur général de l'Amérique du Nord britannique. Des tours guidés gratuits sont offerts.

Informations : 418-692-2193
Heures d'ouverture : Ouvert tous les jours de la mi-mai à la mi-octobre.
Ouvert tous les dimanches de l'année jusqu'à 14h.
Droits d'entrée: Gratuit

Fin du circuit : Place d'Armes

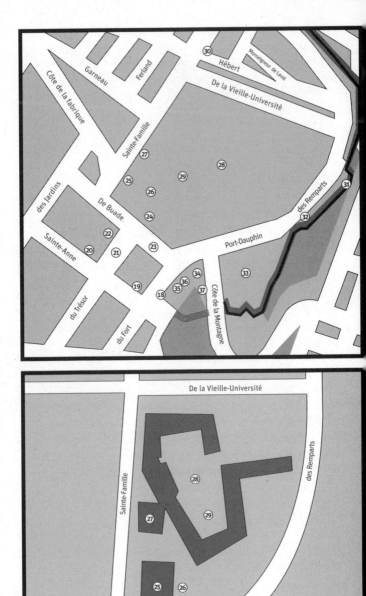

Circuit 2

Le Séminaire de Québec et la Basilique-cathédrale

DÉPART: PLACE D'ARMES

18. Musée du Fort

À côté de la place d'Armes, vous pouvez voir le Musée du Fort. Ce musée est fondé en 1964 par Tony Price, de la célèbre famille Price (# 75). Fait original, le Musée du Fort ne propose pas une exposition, mais bien un « diorama » (d'une durée de 30 minutes) sur l'histoire de la ville de Québec. À partir d'une grande maquette (40 m²) de la ville en 1750, on vous fait découvrir les six sièges qu'a connus Québec, dont la célèbre bataille des Plaines d'Abraham (# 118). Les effets sonores et visuels ajoutent à l'intérêt et vous pourrez ainsi vous divertir tout en en apprenant davantage sur l'histoire militaire de la ville.

Informations : 418-692-2175
Heures des représentations en français : tous les jours à 10h30, 11h30, 12h30, 13h30, 14h30, 15h30 et 16h30 (du 1er avril au 31 octobre)
Droits d'entrée : adultes 7,50 $ – aînés 5,50 $ – étudiants 4,50 $

19. Centre Infotouriste

Près du Musée du Fort, de l'autre côté de la rue du Fort, au numéro 12 de la rue Sainte-Anne (soit en face de la place d'Armes), se trouve le Centre Infotouriste, administré par le ministère du Tourisme du Québec. Il est situé dans un édifice construit en 1803, autrefois l'hôtel Union. Le bâtiment a connu plusieurs autres vocations, mais c'est aujourd'hui un centre de renseignements sur Québec et sa région. Vous pouvez vous informer à propos des activités, de l'hébergement, des restaurants, de la location de voiture, des tours de ville offerts à Québec, etc. Vous y trouverez aussi de bonnes cartes de la ville et de ses environs (et des toilettes...).

Informations : 1 877-266-5687 (ligne sans frais)
Heures d'ouverture : ouvert tous les jours de 9h à 17h (pendant l'été : de 8h30 à 19h30)

20. Musée de cire

Continuez sur la rue Sainte-Anne jusqu'à la rue du Trésor. Juste au coin, dans la boutique *Coin du trésor*, se trouve le Musée de cire de Québec. Le musée est situé dans une maison du XVIIᵉ siècle où a habité Pierre-Olivier Chauveau (1820-1890), premier ministre du Québec de 1867 à 1873 – soit le premier gouvernement québécois après la Confédération. Le musée présente environ 60 personnages, dans 16 scènes (9 scènes sur l'histoire du Canada et 7 scènes de personnages contemporains, du Québec et d'ailleurs). Parmi les personnages représentés, vous verrez le président John F. Kennedy, le premier ministre René Lévesque, le hockeyeur Guy Lafleur et même le chanteur Roch Voisine.

Informations : 418-692-2289
Heures d'ouverture : selon les heures d'ouverture du magasin
Droits d'entrée : adultes 4 $ – enfants 3 $

21. Rue du Trésor

Faufilez-vous maintenant sur la rue du Trésor, entre les badauds et les tableaux. La rue du Trésor porte officiellement son nom depuis 1689, mais aurait été tracée avant. Selon l'historien Yves Tessier, elle doit son nom aux bureaux du Trésorier de la Marine où elle menait, à l'époque de la Nouvelle-France. La rue du Trésor est une rue très connue de Québec. Elle regroupe des artistes peintres et photographes qui viennent vendre leurs œuvres en plein air (beau temps, mauvais temps) et ce, depuis 1950. À cette époque, des étudiants en beaux-arts décident d'investir la rue pour y vendre leurs œuvres, négoce qui est légalisé par la ville en 1984.

22. Promenades du Vieux-Québec

À partir de la rue du Trésor, vous passerez devant l'entrée, à votre gauche, des promenades du Vieux-Québec. Ces promenades sont des galeries intérieures abritant magasins et bureaux (comme la délégation de Wallonie-Bruxelles). Une autre entrée se trouve sur la rue De Buade, près de la Basilique-cathédrale.

23. Rue De Buade

Retournez sur la rue du Trésor et descendez vers la rue De Buade. La rue doit son nom à Louis de Buade, comte de Palluau et de Frontenac (# 3), gouverneur de la Nouvelle-France, celui qui a donné son nom au château. La rue date d'ailleurs de son époque.

24. Sculpture en hommage à Monseigneur de Laval

Traversez la rue De Buade et, juste devant vous, vous verrez, sur le mur gauche de la basilique, des figures de bronze encastrées dans la pierre. Ce bas-relief en bronze est l'œuvre de Jules Lasalle, réalisée dans les années 1990. Il se trouve sur le mur extérieur de la chapelle dédiée à Monseigneur François de Montmorency-Laval (voir un peu plus loin) et indique ainsi où se trouve le caveau de l'évêque. L'œuvre symbolise la famille, une valeur chère à Monseigneur de Laval. D'un côté se trouve la représentation d'une famille canadienne-française et, de l'autre, d'une famille amérindienne. La bande de verre, visible de l'intérieur, symbolise la vie spirituelle et religieuse de l'évêque. La rivière symbolise le principal moyen de communication et d'évangélisation qu'ont été les cours d'eau. La plaque, reproduction de celle qui se trouvait sur son tombeau, atteste qu'il repose désormais ici.

À côté de cette sculpture, à droite, vous pouvez voir le Presbytère Notre-Dame de Québec (sur De Buade, coin du Fort), autrefois palais épiscopal. Il se trouve à cet emplacement depuis 1662.

25. Basilique-cathédrale Notre-Dame de Québec

Continuez sur la rue De Buade en direction de la rue Sainte-Famille, à votre droite. Vous arriverez en face de la Basilique-cathédrale Notre-Dame de Québec. En 1633, Samuel de

Champlain construit la chapelle Notre-Dame-de-la-Recouvrance, près de l'emplacement actuel de la cathédrale, mais elle a brûlé en 1640 (vous pouvez voir une plaque à cet effet au 15, rue De Buade). En 1647, on construit l'église Notre-Dame-de-la-Paix sur le site actuel de la cathédrale faisant d'elle la première paroisse catholique et première cathédrale du Canada. En 1650, on y célèbre la première messe et Monseigneur de Laval consacre l'église en 1666. En 1759, lors du siège de Québec, la cathédrale est détruite au cours des combats, mais elle est reconstruite en 1766 par Jean Baillairgé (1726-1805) selon les plans de Gaspard Chaussegros de Léry (1743). En 1874, elle obtient de Rome le statut de basilique mineure (ce qui signifie « Maison Royale », titre accordé aux églises qui se sont particulièrement démarquées auprès de la communauté et qui présentent un intérêt architectural), mais elle subit un autre incendie majeur en 1922 (qui serait d'origine criminelle). Elle est, encore une fois, reconstruite sur ses ruines en respectant les plans originaux et, en 1925, on inaugure la nouvelle cathédrale. Elle est classée monument historique depuis 1966.

À l'intérieur, vous pouvez voir la chapelle funéraire du premier évêque de Québec, François de Montmorency-Laval. Depuis 1993, il est inhumé sous le gisant de bronze (d'inspiration médiévale), œuvre de Jules Lasalle. Sur le sol, une carte de granit noir poli symbolise le diocèse naissant dont Monseigneur de Laval a la responsabilité (du Labrador au Golfe du Mexique !). Dans la crypte de la cathédrale, plus de 900 personnes sont inhumées (entre 1654 et 1898) dont des gouverneurs de la Nouvelle-France (Frontenac, Vaudreuil, Callières et Jonquière) et la plupart des évêques de Québec. Le maître-autel est une pièce exceptionnelle datant de 1797. Cette miniature du maître-autel de la Basilique Saint-Pierre de Rome est sculptée et recouverte de feuille d'or selon des plans de François Baillairgé. Ce sculpteur réalise aussi le superbe baldaquin (1787-1795) au-dessus du maître-autel. Le baldaquin repose sur des cariatides, spécificité qui a d'ailleurs servi de modèle pour plusieurs autres églises du Québec. Remarquez aussi la lampe du sanctuaire (1663) qui se trouve suspendue à droite. Elle a été offerte par le roi Louis XIV à

Monseigneur de Laval. Elle est la pièce la plus ancienne de la cathédrale, car elle a pu être sauvée des nombreux incendies. Quant à la chaire (1776-1784) de style Louis XV, on la doit à Jean Baillairgé (1726-1805) tout comme les plans du clocher (1766-1771). Information intéressante : la cathédrale offre un spectacle sons et lumières nommé « Feux sacrés ».

Informations : 418-694-0665
Heures d'ouverture : tous les jours de 7h30 à 16h30
Heures des visites guidées : du lundi au samedi de 9h à 16h30 et le dimanche de 12h30 à 16h30 (du 1er mai au 1er novembre)
Droits d'entrée : gratuit

26. Centre d'animation François-de-Laval

À l'intérieur de la Basilique-cathédrale Notre-Dame de Québec, vous trouverez le Centre d'animation François-de-Laval consacré à cet éminent personnage. Le centre propose diverses activités.

Informations : 418-692-0228
Heures d'ouverture : du mardi au samedi de 10h à 11h30 et de 14h à 16h30 et le dimanche de 14h à 16h30
Droits d'entrée : gratuit

27. Musée de l'Amérique française (site historique du Séminaire de Québec)

Au coin des rues Sainte-Famille et Côte de la Fabrique, vous pouvez facilement apercevoir le pavillon d'accueil du Musée de l'Amérique française. Ce bâtiment, autrefois un magasin (en 1737), devient la Maison Baillairgé en 1838. Il appartient aujourd'hui au Séminaire de Québec et est occupé par le musée. Ce musée, dont les salles d'exposition se trouvent dans un autre bâtiment à l'intérieur de la cour du Séminaire, présente des expositions temporaires et trois expositions permanentes sur l'histoire de la colonie française à Québec et sur l'évolution de l'œuvre éducative du Séminaire de Québec. Vous pourrez aussi y voir les collections du Séminaire (objets religieux et scientifiques principalement) acquises au fil des siècles. La vocation muséologique du Séminaire remonte, officiellement, à 1806, lors de l'inauguration d'un musée scientifique. En 2008, la

France y aménage le Centre de la Francophonie des Amériques comme cadeau à la ville pour son 400ᵉ anniversaire.

Vous pouvez aussi profiter d'une très instructive et agréable visite guidée du Séminaire de Québec (environ une heure), principalement à travers les corridors de l'institution. Vous visiterez ainsi la jolie chapelle du Séminaire. Cette chapelle, construite entre 1888 et 1890 par Joseph-Ferdinand Peachy (1830-1903), remplace celle de 1751 qui est entièrement détruite par un incendie en 1888. La chapelle sert au culte jusqu'en 1990 puis, lorsque le musée devient locataire des lieux, la chapelle est désacralisée (en 1995) et reconvertie en salle de réception. Elle s'appelle aujourd'hui le Pavillon François-Ranvoyzé, du nom d'un des plus grands orfèvres de la colonie (1739-1819). À ne pas manquer : les remarquables trompe-l'œil présents dans la chapelle. Ainsi, le plafond, qui semble être en plâtre, tout comme les colonnes, faites en marbre, sont en fait recouverts d'un métal peint (réalisation de la compagnie Pedlar Metal Roofing d'Oshawa, en Ontario). À s'y méprendre... L'avantage de la tôle est non seulement monétaire (c'est beaucoup plus économique), mais elle présente aussi moins de risque en cas d'incendie.

Début de la visite au pavillon d'accueil du Musée de l'Amérique française, là où vous vous trouvez présentement.

Informations : 418-692-2843 ou 1-866-710-8031 (ligne sans frais partout au Canada et aux États-Unis)
Heures d'ouverture : tous les jours de 9h30 à 17h (du 24 juin au 4 septembre)
du mardi au dimanche de 10h à 17h (du 5 septembre au 23 juin)
Heures des visites guidées : tous les jours à 9h45, 11h, 13h, 14h30 et 15h15 (du 24 juin au 4 septembre)
Les samedis et dimanches à 11h15, 13h30 et 15h (du 5 septembre au 23 juin)
Droits d'entrée : adultes 5 $ – aînés 4 $ – étudiants 3 $ – enfants : gratuit

28. Séminaire de Québec

Fondé en 1663 par Monseigneur de Laval, le Séminaire de Québec est la plus ancienne institution de l'Amérique du Nord après Harvard (1636) et la plus ancienne école pour garçons au

Canada. Le Séminaire joue un rôle essentiel dans la mise en place du système d'éducation du Québec, notamment en créant la première université catholique francophone d'Amérique en 1852, soit l'Université Laval. À l'origine, le Séminaire de Québec avait pour mission de former des prêtres, d'évangéliser les Amérindiens et d'administrer les paroisses de la colonie. En 1668, Monseigneur de Laval fonde le Petit Séminaire, un pensionnat pour les jeunes se destinant à la prêtrise. Après la Conquête, les cours donnés au collège des Jésuites sont interrompus (l'ordre des Jésuites est interdit par le régime anglais) et le Petit Séminaire prend alors la relève. Aujourd'hui encore, le Petit Séminaire dispense des cours de niveau secondaire (12 à 17 ans). Depuis 1987, il est administré par une corporation laïque. Le Séminaire de Québec, quant à lui, est toujours administré par une corporation religieuse de prêtres séculiers (environ 30 prêtres séculiers et 20 séminaristes) appelés les Messieurs du Séminaire de Québec. Dans les bâtiments du Séminaire loge aussi, depuis 1988, l'École d'architecture de l'Université Laval. L'Université elle-même déménage en 1960 à Sainte-Foy, un autre quartier de la ville de Québec, où se retrouvent toutes les autres facultés.

29. Cour intérieure du Séminaire de Québec

Si vous ne faites pas la visite guidée, allez tout de même dans la cour intérieure du Séminaire, en passant à côté de l'entrée du Musée de l'Amérique française (à la droite de l'entrée). Cette cour était la cour des petits (12 à 16 ans) et sert encore aujourd'hui de cour de récréation. Le bâtiment droit devant vous, où se trouve le cadran solaire, est le plus vieux bâtiment du Séminaire (1681, aile de la procure). Il est aujourd'hui occupé par l'École d'architecture de l'Université Laval. Remarquez le crochet au-dessus de la dernière fenêtre dans le coin droit des bâtiments. Ce crochet servait autrefois à monter les coffres et valises des pensionnaires au niveau de leur chambre. En effet, le dernier étage était consacré aux dortoirs : chauds en été, frigorifiques en hiver… Cet étage aurait aussi servi à garder des prisonniers de guerre états-uniens, lors de l'attaque américaine sur Québec, le 31 décembre 1775. À la droite de l'aile de la procure se trouve l'aile des parloirs et, si vous marchez dans la cour, sachez que sous vos pieds se trouve la cuisine anciennement utilisée. Le fait que le Séminaire soit situé sur un terrain présentant une grande dénivellation explique ce genre de bizarrerie (les fenêtres de la cuisine ouvrent de l'autre côté).

30. Maison Touchet

Retournez maintenant à l'entrée du Musée de l'Amérique française et partez à droite sur la rue Sainte-Famille (en descendant la côte). Au coin des rues Sainte-Famille et Hébert, vous voyez une maison en face de vous, à droite (au numéro 15 de la rue). Plutôt basse et présentant une énorme cheminée (sur la rue Hébert), elle a cinq lucarnes, des fenêtres à petits carreaux et un joli toit rouge. Construite entre 1747 et 1768 pour le maître tonnelier Simon Touchet, elle est un bon exemple de l'architecture sous le régime français.

Tournez à droite sur la rue Hébert et admirez les jolies maisons ancestrales. Rendez-vous jusqu'au bout de la rue. Tournez à droite sur la rue des Remparts et allez de l'autre côté de la rue, près du muret. Vous pouvez voir une partie du Vieux-Port, le bassin Louise et le Marché (# 67).

31. Les remparts

La rue des Remparts doit son nom, vous l'aurez deviné, à la muraille qui ceinture une partie de la ville. Les remparts sont complétés en 1811, mais, en 1878, on les abaisse de trois mètres pour permettre aux passants d'admirer le paysage. On supprime aussi les embrasures des canons. Au xixᵉ siècle, il est très bien vu d'habiter cette rue prestigieuse.

En remontant la côte de la rue des Remparts, vous verrez, de l'autre côté de la rue, le Séminaire de Québec. Plus précisément, vous voyez le très beau bâtiment du Petit Séminaire. Le stationnement devant lequel vous passerez était autrefois la cour des grands (16 à 20 ans).

32. Les canons

Vous remarquerez que de nombreux canons sont présents un peu partout dans le Vieux-Québec. En fait, au moment de la Conquête, on y dénombre 180 pièces de canons. Les Français possèdent des pièces de calibre de 4, 8, 12, 16 et 24 livres (ce qui réfère au poids du boulet) dont la portée varie entre 2 700 et 4 000 mètres. De leur côté, les Britanniques disposent de 2 000 canons sur 43 navires et d'une batterie de 21 canons de 32 livres à Lévis, en face de Québec (ces canons servent à bombarder la ville pendant des semaines). À cette époque, tous les canons sont en fonte, à âme lisse, et se chargent par la bouche. On nettoie l'âme avec un écouvillon, pousse vers la culasse la gargousse de poudre puis conduit le boulet sphérique en métal avec le refouloir. La mise à feu se fait avec un boute-feu qui allume soit une mèche, soit de la poudre introduite dans la lumière.

Aujourd'hui, on retrouve 183 pièces d'artillerie à Québec, dont plusieurs carronades (le nom provient de Carron, en Écosse), c'est-à-dire des canons de marine courts et trapus, montés sur un affût de fonte. On en compte 50 alors qu'il y a 78 canons de calibre de 18 et 24 livres. Ces énormes canons, visibles entre autres sur la rue des Remparts, sont montés sur un pivot et peuvent être orientés grâce à leurs chariots.

Vers 1840-1850, en France, deux capitaines, soit Treuille de Beaulieu et Tamisier, inventent le canon rayé à chargement par l'arrière grâce à une culasse mobile. Grâce à cette invention, la portée efficace d'un canon passe de 1 800 à 6 000 mètres et on peut désormais tirer des obus à charge explosive au lieu d'un simple boulet. Ce fut la fin de l'utilité de la Citadelle de Québec : les canons du « Gibraltar de l'Amérique » devenaient des pièces de musée que l'on peut, heureusement, encore admirer aujourd'hui.

33. Parc Montmorency

Continuez sur la rue des Remparts, qui change de nom pour la rue Port-Dauphin, et arrêtez-vous, à gauche, au parc Montmorency. Ce parc se situe sur le site du premier palais épiscopal de Québec, érigé par le successeur de Monseigneur de Laval, Monseigneur de Saint-Vallier (1653-1727), entre 1689 et 1693. Occupé pendant quelques années par les religieux (jusqu'en 1713), l'ancien palais épiscopal sert ensuite à loger la Chambre d'assemblée du Bas-Canada (1791) puis du Canada-Uni (1840). On agrandit le bâtiment en 1831, mais un incendie, en 1854, le détruit entièrement. On reconstruit un autre bâtiment, dans lequel on signera le pacte de la Confédération canadienne en 1864. Vous pouvez d'ailleurs voir une plaque à cet effet dans le parc ainsi que le monument de George-Étienne Cartier, considéré comme un des Pères de la Confédération (le monument, dévoilé en 1920, est l'œuvre de George W. Hill). En 1883, l'ancien palais épiscopal brûle à nouveau et, en 1898, on aménage ce parc. Ainsi nommé en 1908, le parc commémore à la fois le premier évêque de la colonie, Monseigneur François de Montmorency-Laval et le duc Henri de Montmorency, vice-roi de Nouvelle-France de 1619 à 1625.

À une extrémité du parc, vers la rue Port-Dauphin, vous pouvez voir le monument de Louis Hébert. Arrivés en 1617, Hébert, Marie Rollet et leurs enfants sont considérés comme étant les premiers colons de la ville de Québec. Hébert (1575-1627), qui quitte Paris où il est apothicaire pour venir s'installer à Québec, est le premier agriculteur de la colonie à vivre de sa terre (selon les mots même de Champlain). La statue de bronze est d'Alfred Laliberté (1878-1953) et le monument est inauguré en 1918 à l'emplacement de la terre de Hébert et sa famille. La sculpture dédiée à Marie Rollet, de l'autre côté, la présente en train d'enseigner à ses trois enfants. Quant à Guillaume Couillard (1591-1663), à l'arrière du monument, il est le gendre de Hébert : il épouse, en 1621, Marie-Guillemette, seconde fille de Louis. Il est représenté avec une charrue, car ce serait lui qui aurait introduit l'usage de la charrue dans la colonie, au printemps de 1628.

34. Statue de Monseigneur de Laval

À l'angle des rues De Buade, Port-Dauphin et Côte de la Montagne, dans la pente (et de l'autre côté de la rue), vous pouvez voir l'imposant monument dédié à Monseigneur

François de Montmorency-Laval, un des personnages religieux les plus importants de Québec. Laval est né en 1623 près de Chartres, en France, et étudie au collège des Jésuites de La Flèche (Sarthe). Il est consacré évêque en 1658 et débarque à Québec en 1659. Il a pour mission d'organiser l'église catholique en Nouvelle-France. Il fonde le Séminaire de Québec en 1663 et le Petit Séminaire en 1668. En 1664, il érige la première paroisse de la colonie, Notre-Dame-de-Québec, et, en 1674, le diocèse de Québec. Il meurt en 1708. En 1877, ses restes, découverts lors de travaux dans le sous-sol de la cathédrale, sont transportés dans la crypte de la chapelle du Séminaire de Québec. En 1950, ses restes sont transférés une seconde fois dans une chapelle funéraire construite dans la chapelle extérieure du Séminaire, mais, quand la chapelle devient une partie du Musée du Séminaire, on les transporte une nouvelle fois à la Basilique-cathédrale Notre-Dame de Québec en 1993. Ainsi, son corps repose (enfin !) dans une chapelle funéraire qui lui est consacrée. Monseigneur de Laval est béatifié en 1980 par le pape Jean-Paul II. Quant à la statue, elle date de 1908 (soit le bicentenaire de sa mort). Elle est réalisée par Louis-Philippe Hébert (1850-1917) et le socle, par Eugène-Étienne Taché (1836-1912). La femme symboliserait la religion, le jeune garçon, la fondation du Séminaire de Québec et l'Amérindien, la mission évangélisatrice et éducatrice de l'évêque ; l'ange lui offre les palmes de la gloire.

35. Édifice Louis-S.-Saint-Laurent

Le bâtiment derrière la statue de Monseigneur de Laval est l'Édifice Louis-S.-Saint-Laurent, dit l'Hôtel des Postes ou Bureau des postes (vous y trouverez, en effet, un bureau de poste : entrée au coin de la rue du Fort). Construit en 1873, il est agrandi et décoré de 1913 à 1919. Il porte le nom de Louis Stephen Saint-Laurent (1882-1973), premier ministre du Canada de 1948 à 1957.

36. La légende du Chien d'or

Juste derrière la statue de Monseigneur de Laval, au-dessus de l'entrée de l'Édifice Louis-S.-Saint-Laurent, vous pouvez aper-

cevoir un linteau, de dimension plutôt modeste, qui représente un chien rongeant un os. Ce linteau est gravé au xviiie siècle. On raconte qu'il était autrefois accroché sur la maison
Philibert, sur le site même de l'Édifice Louis-S.-Saint-Laurent
(il est trouvé dans les ruines à cet endroit). Il y est inscrit :

> « Je suis un chien qui ronge l'o
> En le rongeant je prend mon repos
> Un tems viendra qui n'est pas venu
> Que je morderay qui m'aura mordu »

De nombreuses interprétations de la légende du Chien d'or
rendent ce linteau mystérieux... Personne, aujourd'hui
encore, ne s'entend sur l'interprétation à donner à ce message.
La version la plus couramment acceptée fait de ce linteau l'en-
seigne d'une taverne, probablement venue de France. L'esprit
vengeur du message proviendrait d'une histoire de meurtre lié
à Philibert lui-même. En effet, le noble Canadien-français
François-Xavier Le Gardeur de Repentigny a tué, à coup
d'épée (il était officier), un Français du nom de Nicolas Jacquin
dit Philibert parce que ce dernier était réticent à loger
Le Gardeur chez lui. Le meurtrier s'est sauvé en Nouvelle-
Angleterre pour échapper à la décapitation et a payé 8 675
livres et 10 sols à la veuve pour être gracié. L'occurrence simul-
tanée du meurtre et du linteau sur la maison de la victime est
suffisante pour alimenter cette légende... de laquelle William
Kirby (1817-1906) a tiré un roman portant ce titre (*The Golden
Dog*, 1877).

37. Escalier Charles-Baillairgé

Le long de l'Édifice Louis-S.-Saint-Laurent (vers la Côte de la
Montagne), empruntez l'escalier Charles-Baillairgé, construit
en 1893 (et qui a remplacé l'escalier qui datait de 1841). Tournez
à votre droite sur la rue Côte de la Montagne pour rejoindre
l'escalier Frontenac.

Fin : Au pied de l'escalier Frontenac

Église Notre-Dame-des-Victoires (#53)

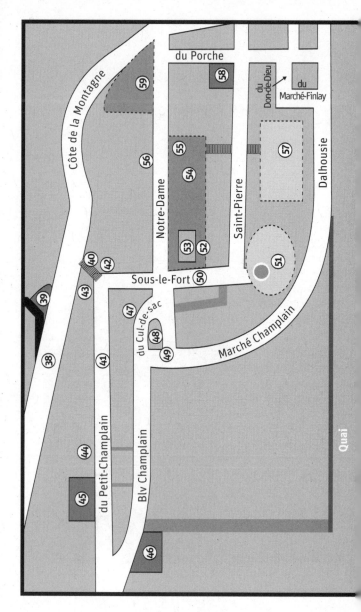

du Porche

Côte de la Montagne

du Don-de-Dieu

du
Marché-Finlay

Notre-Dame

Saint-Pierre

Dalhousie

Sous-le-Fort

du Cul-de-sac

Marché Champlain

du Petit-Champlain

Blv Champlain

Quai

Circuit 3

Place-Royale et le quartier du Petit-Champlain

DÉPART : AU PIED DE L'ESCALIER FRONTENAC

38. Passerelle Prescott

Vous êtes présentement sur la rue Côte de la Montagne. Cette rue, tracée en 1623 par Champlain lui-même, sert à relier la Basse-Ville à la Haute-Ville. Autrefois, la Côte de la Montagne est appelée la Côte de la Basse-Ville (puis Mountain Hill par les Anglais) et les portes qui la bordent servent alors à contrôler les entrées dans la Haute-Ville. À l'endroit où se trouve présentement une passerelle piétonnière – qui mène de l'escalier Frontenac au parc Montmorency – se situait la porte Prescott. Bâtie en 1797, elle est démolie en 1871, lors du départ des troupes anglaises de la ville de Québec. Elle avait, paraît-il, un aspect moyenâgeux. La passerelle Prescott, quant à elle, a été construite en 1983.

39. Premier cimetière de Québec

Descendez la Côte de la Montagne et, de l'autre côté de la rue et au bas des remparts, remarquez l'emplacement du premier cimetière de Québec (terrain triangulaire marqué d'une croix rouge). Il fut utilisé du début de la colonie jusqu'en 1687, au moment de l'ouverture du cimetière Sainte-Anne près de la Cathédrale Notre-Dame. On dit que les vingt compagnons de Champlain, morts du scorbut en 1609, y sont enterrés tout comme Marie Rollet, la veuve de Louis Hébert, le premier colon de la ville de Québec (# 33). Marie Rollet est décédée en 1649.

40. Escalier Casse-Cou

En descendant, la Côte de la Montagne, vous arriverez à l'escalier Casse-Cou. Avant de descendre les escaliers, remarquez, à votre gauche dans le tournant de la côte, le buste de Jean-Paul Lemieux (1904-1990), œuvre de Paul Lancz réalisée en 1998. Sur le socle, vous pouvez voir une œuvre de Lemieux qui reproduit la procession de la Fête-Dieu dans la Côte de la Montagne. Lemieux est un des peintres québécois les plus connus. Il est né et est mort à Québec. Plusieurs de ses peintures traduisent la solitude de l'homme dans l'immensité de la nature.

Retournez maintenant vers l'escalier Casse-Cou. Bien qu'il apparaisse sur les cartes de la ville depuis 1640, l'escalier Casse-Cou n'acquiert son nom qu'au XIXe siècle, probablement parce qu'il est réaménagé à plusieurs reprises et que son passage devient de plus en plus risqué... Cependant, une autre version raconte que ce sont des Américains, arrivant à Québec, qui l'affublent du nom de *Break Neck Steps*, aujourd'hui traduit par l'escalier Casse-Cou. Il a aussi porté le nom d'escalier de la Basse-Ville, d'escalier Champlain ou escalier du Quêteux. C'est le plus ancien escalier de Québec (qui en compte plusieurs, étant donné sa topographie !), mais, rassurez-vous, celui que vous empruntez a été reconstruit en 1999.

Descendez l'escalier. Vous êtes maintenant dans la Basse-Ville. Dès le XVIIe siècle, on parle déjà de Haute et Basse-Ville – dénomination encore utilisée aujourd'hui. La Basse-Ville est alors marchande et industrielle et la Haute-Ville est une forteresse militaire et un lieu de résidence des gouverneurs et des communautés religieuses.

41. Rue du Petit-Champlain

Ouverte en 1685, la rue du Petit-Champlain porte alors le nom de rue de Meules (avec un « L »), du nom du successeur de l'intendant Jean Talon, Jacques de Meulles (avec deux « L ») de La Source (1650-1703), intendant de 1682 à 1686. Elle a ensuite pris le nom de *Little Champlain Street* traduit incorrectement par la rue du Petit-Champlain (on aurait dû traduire par la petite rue Champlain...). Au XIXe siècle, cette rue est fréquentée et habitée par des Français et des Irlandais travaillant principalement au port (marins, débardeurs, marchands). Elle a toujours connu une forte activité, malgré les éboulis (dont deux majeurs en 1841 et 1889) et, aujourd'hui encore, la rue est très animée. Elle est la plus vieille rue commerciale en Amérique du Nord. Cependant, la rue a failli disparaître. En 1909, sous le gouvernement fédéral de Wilfrid Laurier, un projet de construction de gare est lancé. La gare devait être située dans le Quartier Petit-Champlain, ce qui avait pour conséquence la destruction de la halle du Marché Champlain et des maisons du quartier. La halle a effectivement été détruite, mais, heureusement, en 1911, le gouvernement Laurier perd ses élections et le nouveau gouvernement de Robert Borden abandonne le projet : on construit plutôt la gare près du bassin Louise. Aujourd'hui, vous pouvez donc encore marcher dans cette rue historique et y admirer les maisons ancestrales.

42. Verrerie La Mailloche : économusée

Au coin des rues Petit-Champlain et Sous-le-Fort et, à votre gauche, vous trouverez la verrerie *La Mailloche*, fondée en 1976 par le maître verrier Jean Vallières et installée dans le Vieux-Québec depuis 1992. Cet économusée, c'est-à-dire ce « magasin-atelier-musée », présente aux visiteurs l'art traditionnel du soufflage de verre à la canne. Vous pourrez donc vous initier à cette technique artisanale et acheter une ou des œuvres originales.

Informations : 1-866-694-0445

43. Maison Louis-Jolliet

Au numéro 16 de la rue du Petit-Champlain, juste au bas de l'escalier, vous voyez le deuxième accès au funiculaire (# 6) dans la maison Louis-Jolliet. Cette maison, construite en 1683 par Claude Baillif (1635-1698), le premier architecte de Québec, pour Louis Jolliet, est occupée par ce dernier jusqu'en 1700 (année de sa mort). Louis Jolliet est un des principaux explorateurs de l'Amérique du Nord. Il est le premier à explorer le Mississippi en 1673 avec le père jésuite Jacques Marquette (1637-1675), alors qu'il cherchait un passage vers la mer de Chine. Il est un des premiers Québécois, né à Québec (1645), à passer à l'histoire. La maison est restaurée en 1946.

Juste à côté de la Maison Louis-Jolliet se trouve un petit espace vert où vous pouvez voir un monument en l'honneur de Jolliet et un autre monument, œuvre de Lucienne Cornet, pour commémorer les 125 ans d'histoire du funiculaire (1879-2004).

44. Le boulet

En continuant sur la charmante rue du Petit-Champlain, vous passerez non seulement devant divers commerces, mais vous verrez aussi, à votre droite, au numéro 48, un boulet fiché dans le mur de la maison (directement en face de l'escalier du Cul-de-Sac, sous le numéro civique). D'un diamètre d'un peu plus d'une dizaine de centimètres, il est peint en noir et entretenu par les propriétaires de la maison. De nombreux boulets sont ainsi fichés dans les murs des maisons, autant en Basse-Ville qu'en Haute-Ville et il arrive encore d'en trouver lors de rénovations. Il faut rappeler que lors de la seule guerre de 1759, 40 000 boulets anglais et 10 000 bombes incendiaires sont tirés sur Québec (# 32)...

45. Parc Félix-Leclerc

Continuez quelques pas et vous arriverez au parc Félix-Leclerc, à droite. Félix Leclerc (1914-1988) est l'un des poètes et chansonniers les plus importants du Québec. Il a une carrière internationale, particulièrement en France où il fait connaître la « Belle province ». Il habite l'île d'Orléans pendant de nombreuses années et cette île lui a inspiré de nombreux textes, dont le célèbre « Tour de l'île ». Au fond du parc, vous pouvez voir, accrochée à la paroi de la falaise, une œuvre d'Hélène Rochette, nommée *Le souffle de l'île* (1997) qui s'inspire justement de l'île d'Orléans. Dans ce parc, se produisent souvent des musiciens : prenez quelques minutes pour vous détendre.

À côté du parc Félix-Leclerc, vous trouverez le théâtre Petit Champlain, un théâtre qui est devenu la *Maison de la Chanson* et qui présente des artistes francophones du Québec et du monde entier. D'ailleurs, en 1694, Frontenac (# 3) veut présenter la pièce *Tartuffe* (1664) de Molière, mais l'évêque de Québec, Monseigneur de Saint-Vallier, le menace d'excommunication et réussit à freiner le projet. Québec vit alors le même scandale qu'à Paris, trente ans plus tôt, avec cette œuvre qui critique les « faux dévots »...

46. Parc Jean-Paul-Godin (ou Parc des Traversiers)

Continuez au bout de la rue du Petit-Champlain et voyez le trompe-l'œil dépeignant l'intérieur d'une maison à l'époque de la colonie. Ce trompe-l'œil s'appelle la « Fresque du Petit-Champlain » et est réalisée par Murale Création en 2001. Revenez un peu sur vos pas et descendez vers le boulevard Champlain, par la ruelle du Magasin-du-Roi devenue aujourd'hui un escalier. Allez vers la gauche sur le boulevard. Si vous n'avez pas déjeuné et qu'il fait beau, profitez des agréables terrasses côté soleil. En diagonale de ces terrasses, le petit parc de l'autre côté de la rue est le parc Jean-Paul-Godin, dédié à la navigation. Vous pouvez d'ailleurs voir une énorme ancre déposée dans le parc et divers types de bouées.

Si vous voulez prendre le traversier vers Lévis, de l'autre côté du fleuve, traversez la rue et rendez-vous sur les quais du port (rue des Traversiers). Il peut être intéressant de prendre le traversier, ne serait-ce que pour avoir une vue exceptionnelle sur la ville. La traversée pendant l'hiver est particulièrement impressionnante, car les glaces viennent se fracasser sur la coque et font de ce court voyage une expérience inoubliable. Autrefois, un pont de glace reliait les deux rives, mais le réchauffement de la température et la montée des eaux empêchent par la suite la formation de ce pont. À partir de 1828, on utilise donc la force chevaline pour faire la traversée. Charles Poiré construit un bateau où des chevaux, placés à une extrémité, actionnent les hélices. À l'autre extrémité se trouvent les passagers. Ce moyen de locomotion est ensuite remplacé par les bateaux à vapeur. Aujourd'hui, la traversée dure 10 minutes (sur 1 km) sur un bateau pouvant accueillir 700 passagers. Si vous ne prenez pas le traversier, vous pouvez tout de même vous rendre sur les quais : vous avez déjà une vue superbe du Château Frontenac. À voir !

Informations : 1-877-787-7483

Heures des traversées : De jour, départs simultanés de chaque rive toutes les 20, 30 ou 40 minutes (à l'exception des premières traversées du matin, toutes les 20 ou 30 minutes).
De soir ou de nuit jusqu'à 2h20, départ toutes les 60 minutes (toute l'année).
Droits d'entrée : adultes (12 à 64 ans) 2,60 $ – aînés 2,35 $ – enfants (5 à 11 ans) 1,80 $ – enfants (moins de 5 ans) : gratuit + le coût du véhicule (incluant le conducteur) : voiture 5,80 $ – bicyclette 2,60 $

47. Rue du Cul-de-Sac

Rendez-vous maintenant au coin des rues Marché-Champlain et du Cul-de-Sac. Nommée ainsi parce qu'elle est située à l'emplacement de l'ancienne anse du Cul-de-Sac. Dans ce havre naturel s'est installé le premier chantier naval, car, à l'époque, les marées montent jusqu'à la rue Saint-Pierre et jusque dans cette petite anse.

48. Maison Chevalier (maison Chesnay et maison Frérot)

Au coin des rues du Marché-Champlain et du Cul-de-Sac, vous pouvez voir, sur l'îlot, la maison Chevalier. Ce qui est appelé la maison Chevalier est en fait un ensemble de trois maisons. La première, la maison Chesnay (à l'angle des rues du Cul-de-Sac et Notre-Dame), est construite, à l'origine, par Bertrand Chesnay de Garenne au XVIIe siècle, mais est entièrement reconstruite en 1959. Chesnay avait aussi fait construire la deuxième maison de l'ensemble, la maison Frérot, du nom de son deuxième propriétaire, Thomas Frérot. Cette maison est la plus ancienne de l'ensemble (elle se situe au centre).

La troisième maison, la véritable maison Chevalier, est construite par Baptiste Chevalier en 1752 puis reconstruite en 1762 après un incendie majeur. Cette imposante construction est typique de l'architecture urbaine de la Nouvelle-France. La maison, parfois connue sous le nom d'Hôtel Chevalier, abrite une auberge pendant plus d'un siècle et porte le nom de « London Coffee House ». Elle est fréquentée par les marins et les bûcherons. Fait inusité : l'actuelle façade, par où vous pouvez entrer dans la maison, était autrefois l'arrière de la maison (transformation effectuée lors de la restauration de 1959) ! Les fenêtres au bas, sur l'actuelle façade, permettaient donc de faire entrer les marchandises à partir des quais autrefois situés directement à côté des maisons. Dans la maison Chevalier, vous trouverez des reconstitutions d'intérieurs anciens réalisés à partir de la collection du Musée de la civilisation (propriétaire de la maison).

Pour les visites guidées (environ 30 minutes), informez-vous au Centre d'interprétation Place-Royale (# 56).

Informations : 418-646-3167

Heures d'ouverture : tous les jours de 9h30 à 17h (du 24 juin au 4 septembre)

Du mardi au dimanche, de 10 h à 17 h (du 2 mai au 23 juin, du 5 septembre au 15 octobre et du 13 décembre au 1er janvier)

Les samedis et dimanches de 10 h à 17 h (en dehors de ces périodes)

Droits d'entrée : gratuit

49. Atelier du patrimoine vivant

Dans les voûtes, auxquelles vous pouvez accéder à partir d'une porte de couleur bourgogne se trouvant à gauche de l'entrée de la maison Chevalier, des artisans vous présentent leurs créations réalisées à partir de méthodes traditionnelles : bougies, tricots, dentelles, etc. Les artisans sont très accueillants et proposent des objets originaux.

Heures d'ouverture : vendredi, samedi et dimanche de 10h30 à 16h30 (durant la saison estivale seulement)

Droits d'entrée : gratuit

50. Rue Sous-le-Fort

Prenez la rue Notre-Dame jusqu'à la rue Sous-le-Fort (qui donne directement sur le funiculaire). À l'intersection de cette rue et de la rue Notre-Dame, vous vous trouvez à l'angle des deux plus anciennes rues « officielles » de la ville. Dès 1640, le *Plan de Québec*, fait par l'arpenteur Jean Bourdon (1601-1668), marque ces deux « rues » (qui sont alors plus des chemins que des rues...) et quelques autres voies laissées sans nom. La rue Sous-le-Fort porte alors le nom de rue des Roches et tiendrait son nouveau nom parce qu'elle se situait directement sous le fort Saint-Louis, 60 mètres plus haut.

51. Batterie royale

Tournez maintenant à droite et descendez la rue Sous-le-Fort. Un peu plus loin, à votre droite, vous verrez le Passage de la batterie. Vous pouvez vous y engager pour y jeter un coup d'œil, mais sachez que cette section des bâtiments est une reconstitution.

Revenez ensuite sur la rue Sous-le-Fort et rendez-vous jusqu'au bout de la rue, presque vis-à-vis la rue Saint-Pierre. Le parc devant vous est la Batterie royale. En 1691, Frontenac fait construire, par Claude Baillif (1635-1698) et Jean-Baptiste-Louis Franquelin (1651-1712), cette plate-forme qui sert à accueillir une batterie de canons pour défendre la ville contre les Anglais (# 32). Ce lieu s'appelle alors Pointe-aux-Roches et, en 1763, il devient un débarcadère (l'eau du fleuve montait plus haut qu'aujourd'hui). Au xixe siècle, la Batterie royale disparaît, enterrée par les nouveaux occupants qui veulent s'approprier cet espace. Les lieux sont restaurés en 1977 d'après les plans de 1691. Aujourd'hui, vous pouvez y voir une dizaine de canons, répliques de canons français offerts, dans les années 1970, par Raymond Barre (1924-), premier ministre français de l'époque. Sachez aussi que l'armoirie, au-dessus de l'entrée de la batterie, est une reproduction. L'original, apporté en Angleterre et demeuré là-bas pendant des décennies, n'est restitué à la ville de Québec que dans les années 1960 et se trouve désormais à l'Hôtel de ville.

52. Rue des Pains-Bénits

Revenez maintenant sur la rue Sous-le-Fort jusqu'à la petite rue des Pains-Bénits. Cette rue doit son nom à la traditionnelle bénédiction des « petits pains ». En effet, depuis le siège de Paris contre les Francs pendant lequel sainte Geneviève offre du pain gratuitement aux assiégés, un culte lui est voué. Elle est ainsi invoquée pour se protéger des famines et, dans l'église Notre-Dame-des-Victoires, on célèbre sa fête (3 janvier) par la bénédiction des petits pains.

53. Église Notre-Dame-des-Victoires

Prenez la rue des Pains-bénits et vous arriverez à la place Royale. La jolie petite église donnant sur cette place est l'église Notre-Dame-des-Victoires. Elle est bâtie en 1688 par Claude Baillif (1635-1698) sur les fondations du premier établissement de Québec, l'*Abitation*, construite par Samuel de Champlain en 1608 (# 5). Au sous-sol de l'église, il est possible de voir un mur et une tourelle de ce poste de traite. Des fouilles ont été entreprises il y a peu de temps et le pavé devant l'église, reconstitué en 1990, donne le tracé de ces vestiges. Cette église, d'abord dédiée à l'Enfant-Jésus, est une succursale de la Basilique-cathédrale Notre-Dame de Québec et est construite sous la responsabilité de Monseigneur de Laval (# 34). En 1690, l'église prend le nom de Notre-Dame-de-la-Victoire quand Frontenac (# 3) met en déroute l'amiral William Phips directement en face de Québec. Puis, en 1711, elle sera renommée Notre-Dame-des-Victoires lors du naufrage de la flotte anglaise de l'amiral Sir Hovenden Walker qui venait attaquer Québec (à l'intérieur de l'église, de chaque côté de la statue de Notre-Dame-des-Victoires du maître-autel, vous pouvez voir deux fresques de Jean-Marie Tardivel (1888) qui évoquent ces deux « victoires »). En 1723, on agrandit l'église et ajoute la Chapelle Sainte-Geneviève, mais, en 1759, lors du siège de Québec, l'église est détruite. Elle sera reconstruite entre 1763 et 1766 par Jean Baillairgé (1726-1805) et la décoration intérieure, réalisée entre 1854 et 1857, est attribuée à Raphaël Giroux. En 1929, l'église est classée monument historique.

Si vous entrez dans l'église, ne manquez pas l'ex-voto dit de « l'aimable Marthe », suspendu à la voûte de la nef. « Le Brézé » est la réplique du vaisseau sur lequel sont arrivés, en 1665, le marquis de Tracy et le régiment de Carignan-Salières. Le marquis l'a offert à l'église pour remercier Dieu d'être arrivé sain et sauf à Québec. Il date de cette époque, bien qu'il ait été égaré pendant près de deux cents ans. Il sera suspendu à nouveau en 1955. Dans l'église, vous pouvez aussi voir des tableaux anciens enlevés des églises de Paris lors de la Révolution française et acquis par l'abbé Philippe Desjardins. Ils sont acheminés à Québec entre 1817 et 1821.

Les dimanches de la saison estivale, vous pouvez assister à une messe en musique (de 10h30 à 12h) et des visites guidées sont aussi offertes. (Pour informations : 418-692-1650).

54. Place-Royale

On dit de Place-Royale qu'elle est le berceau de l'Amérique française, mais, bien avant l'arrivée des Européens, l'emplacement de Place-Royale est occupé par des Amérindiens qui l'utilisent comme lieu de pêche et d'échange. En 1608, Samuel de Champlain y construit l'Abitation. En 1680, l'espace aujourd'hui appelé le Quartier du Petit-Champlain est presque entièrement occupé et les activités économiques vont bon train jusqu'en 1759. Cette place perd rapidement le nom de Place-Royale pour s'appeler Place-du-Marché. Québec est alors le port principal entre l'Europe et la Nouvelle-France. Lors de la prise de possession de la ville par les troupes britanniques, en 1759, Place-Royale est entièrement détruite, mais est reconstruite. Elle demeure un pôle commercial important et Québec devient le plus grand port de l'Amérique britannique pendant environ 50 ans. Cependant, à partir de la deuxième moitié du XIXe siècle, le déclin commercial de Québec commence et, bien que Place-Royale conserve sa vocation économique jusque dans les années 1950, le quartier s'appauvrit énormément. Il retrouve néanmoins son nom d'origine en 1957. À partir des années 1970, un programme de restauration est entrepris, faisant de Place-Royale et du quartier le joyau que vous avez sous les yeux !

Fait inusité : Place-Royale recèle 27 caves voûtées, parmi les plus anciennes du Québec. La majorité des caves, construites au XVIIIe siècle, servent à se protéger contre les incendies, le vol ou les bombardements et pour entreposer des aliments. Vous pouvez visiter une de ces caves, entre autres, au Centre d'interprétation Place-Royale et ainsi vous imprégner un peu de la vie d'autrefois. Vous pouvez aussi voir des caves voûtées à la Maison Chevalier, au Musée de la civilisation (# 63) ou au musée du Jade, non loin du buste de Louis XIV.

55. Buste de Louis XIV

Ce buste, placé au centre de Place-Royale, est une reproduction du buste en marbre réalisé par Antoine Coysevox (1640-1720), installé au palais de Versailles. Il est offert par le ministre français Bokanowski en 1928. Ce buste a une existence controversée. Un premier buste du roi est déjà présent sur la place en 1686, mais il est enlevé peu de temps après, à la demande de certains marchands. Au début du xxe siècle, une fontaine se trouvait à cet endroit, mais, en 1931, on réinstalle le buste. Cependant, il est encore une fois enlevé peu de temps après, entre autres parce que les chauffeurs de taxi le trouvaient encombrant (les voitures venaient sur la place encore jusqu'à récemment). Le buste sera néanmoins replacé en 1948.

56. Centre d'interprétation Place-Royale

Le Centre d'interprétation Place-Royale est construit sur l'emplacement des maisons Hazeur et Smith (1637). Ce centre, inauguré seulement en 1999, présente des expositions, des visites guidées et un spectacle multimédia pour vous faire connaître l'histoire de cette place. Le centre, très dynamique, propose plusieurs activités qui amuseront les enfants (déguisements, énigmes, carnet d'activités). Plus originaux encore sont les ateliers, parfois présentés à l'extérieur du centre, où les visiteurs et/ou les passants sont invités, par un guide costumé, à venir en apprendre davantage sur une facette de la vie aux siècles derniers : vie maritime, connaissance des plantes médicinales ou des nœuds, consommation du tabac, vie des coureurs des bois, etc. Le centre s'occupe aussi d'animer Place-Royale avec des musiciens traditionnels (été), un grand marché (automne) et une reproduction des Noëls d'antan.

Informations : 418-646-3167 ou 1-866-710-8031 (ligne sans frais partout au Canada et aux États-Unis)
Heures d'ouverture : tous les jours de 9h30 à 17h (du 24 juin au 4 septembre) du mardi au dimanche de 10h à 17h (du 5 septembre au 23 juin)
Spectacle multimédia : à toutes les demi-heures, de 10h30 à 16h30

Visites guidées : à 11h15, 13h30 et 16h (l'été seulement)
Droits d'entrée : adultes 4 $ – aînés 3,50 $ – étudiants
3 $ – enfants : gratuit

57. Place de Paris

Prenez maintenant l'escalier se situant presque devant le buste de Louis XIV par la ruelle de la Place, en descendant vers le fleuve. Dépassez la rue Saint-Pierre et continuez tout droit jusqu'au petit parc devant vous. Vous vous trouvez désormais à la Place de Paris, anciennement appelé le marché Finlay. Inaugurée en 1988, la Place de Paris doit son nom à l'immense sculpture en marbre blanc de Grèce, réalisée par l'artiste français Jean-Pierre Raynault (1939-). Intitulée *Dialogue avec l'histoire*, elle est offerte par la ville de Paris à la ville de Québec. Une des interprétations possibles serait que l'œuvre représente nos grands espaces et le temps (fixité du passé, du présent et du futur dans un dialogue), lien spatiotemporel éternel entre la France et le Québec. Cette œuvre moderne n'a cependant pas encore fait l'unanimité chez les Québécois !

58. Parc de l'UNESCO

Remontez sur la ruelle de la Place et tournez à droite sur la rue Saint-Pierre. Cette rue constituait autrefois le quartier financier de Québec et, jusque dans les années 1850, elle rivalise avec Montréal comme capitale économique de la colonie. Par la suite, la ville connaît un déclin important et son statut de ville portuaire ne semble plus lui garantir la prospérité d'autrefois.

Un tout petit peu plus loin, sur la rue Saint-Pierre, vous passerez devant le Parc de l'UNESCO, lieu de rêve pour les enfants. Avec ses jeux en bois, les petits voudront très certainement y faire un arrêt. À cet endroit se trouve, vers 1651, le premier magasin général tenu par les frères Mathurin, Jean et Pierre Gagnon, originaires de Tourouvre, en France. Sur un mur, à gauche, vous pouvez d'ailleurs voir une peinture à ce sujet. Plus haut, toujours à gauche dans le parc, loge l'Association internationale des études québécoises.

59. Parc de la Cetière

Empruntez la rue du Porche, vers la gauche (vers le haut de la rue) jusqu'à la rue Notre-Dame. Devant vous se trouve le Parc de la Cetière, du nom d'un ancien colon ayant habité tout juste à côté, Florent de la Cetière. À gauche, sur le mur de la maison, vous pouvez voir la « Fresque des Québécois », réalisée en 1999 par Cité de la Création, des artistes québécois et lyonnais. Ce trompe-l'œil couvre une superficie de 420 mètres carrés. De nombreux personnages historiques ou contemporains y sont dépeints à travers les quatre saisons. Cherchez-y Jacques Cartier, Samuel de Champlain, Marie de l'Incarnation, le comte de Frontenac, Louis Jolliet, Félix Leclerc...

À votre droite, vous pouvez voir des ruines d'habitations. Des panneaux explicatifs vous informent sur l'histoire de ces ruines et les multiples occupants des lieux, au fil des siècles. Des spectacles de musique sont souvent offerts au Parc de la Cetière : informez-vous au Centre d'interprétation Place-Royale (# 56).

Fin : Parc de la Cetière

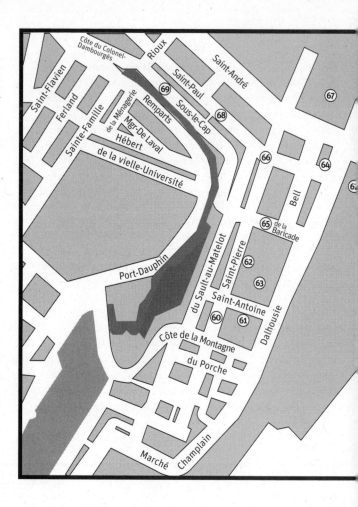

Circuit 4

La rue Saint-Paul et le Musée de la civilisation

DÉPART : PARC DE LA CETIÈRE

60. Rue Saint-Pierre

Descendez la Côte de la Montagne et tournez à gauche sur la rue Saint-Pierre. La rue Saint-Pierre constituait autrefois la délimitation entre la terre ferme et le fleuve, mais, peu à peu, des marchands font du remblayage et y construisent leur résidence. Vers la fin du XVIIᵉ et au début du XVIIIᵉ siècle, les richissimes Charles Aubert de la Chesnaye et Philippe Gauthier de Comporté, spécialisés dans le commerce des fourrures, des huiles et des poissons séchés, construisent leur quai à cet endroit. Au début du XIXᵉ siècle, les marchands, voulant fuir les épidémies de choléra, déménagent en Haute-Ville, entre autres sur Grande Allée (# III). Des banques et des compagnies d'assurance s'installent alors sur la rue, faisant d'elle la « Wall Street québécoise ». À partir des années 1960, les banques quittent la rue et des travaux de restauration sont entrepris pour lui redonner son éclat d'autrefois.

61. Auberge Saint-Antoine

Remarquez au numéro 58 de la rue Saint-Pierre les mascarons (têtes sculptées), vestige de cette époque de prospérité économique. En passant devant la rue Saint-Antoine, vous pouvez aller jeter un coup d'œil à l'auberge Saint-Antoine, construite sur l'îlot Hunt. L'îlot Hunt accueillait autrefois des quais puis une batterie de canons. En 1725, Jean Maillou y construit sa maison, partiellement détruite durant la guerre de 1759, mais les murs ont pu être sauvés. En 1822, le maître tonnelier John Chillas achète les lieux et y fait construire un entrepôt où loge aujourd'hui le restaurant de l'auberge, *Le Panache*. Le lieu est abandonné pendant de nombreuses années. La famille Price (# 75) acquiert l'endroit et ouvre l'auberge en 1992. La particularité de cette auberge est d'avoir su préserver les ruines et artefacts découverts lors de nombreuses fouilles archéologiques et de les avoir intégrés au décor moderne. Pour le constater, vous pouvez vous rendre au bar de l'auberge.

62. Maison Estèbe

Au numéro 92 de la rue Saint-Pierre, vous pouvez voir la Maison Estèbe qui, comme la Maison Chevalier (# 48), fait partie des joyaux appartenant au Musée de la civilisation. Construite en 1751 pour Guillaume Estèbe et sa femme Élisabeth-Marie Thivierge (et leurs futurs 14 enfants), la maison Estèbe est cossue (21 pièces, 8 foyers) et son architecture est de style classique français. Elle est miraculeusement épargnée lors de la guerre de 1759. Suite à la Conquête, la maison est abandonnée par Estèbe et sa famille qui décident de retourner en France. La maison continue alors d'être utilisée pour des fins résidentielles, mais, à partir du XIXe siècle, elle loge divers commerces. En 1959, on la classe monument historique et elle devient, en 1984, partie intégrante du Musée de la civilisation. La maison abrite désormais des bureaux du musée et la Boutique du musée loge dans ses voûtes (vous pouvez aussi y voir un puits ancien).

63. Musée de la civilisation

En face de l'entrée du Musée de la civilisation, à l'auberge Saint-Pierre, remarquez l'inscription gravée dans la pierre (*Quebec Assurance Building*), vestige d'une autre époque et d'une autre vocation du quartier. Au 80 de la rue Saint-Pierre, juste à côté de la maison Estèbe, vous avez accès au Musée de la civilisation. Le musée, inauguré en 1988, présente deux expositions permanentes : *Le temps des Québécois*, sur le Québec de la Nouvelle-France à aujourd'hui, et *Nous, les premières nations*, sur l'histoire des Amérindiens. Le musée propose aussi de nombreuses expositions temporaires, toujours très intéressantes et souvent surprenantes autant par leur sujet que par leur présentation. Le musée est particulièrement dynamique et propose plusieurs activités (entre autres, des ateliers créatifs pour les enfants). Vous pouvez aussi visiter la cave voûtée de la Maison Pagé-Quercy. Cette cave est tout ce qui reste de cette maison construite par le commerçant Guillaume Pagé dit Quercy entre 1695 et 1713.

Si vous ne voulez pas visiter le musée, faites quand même un petit tour dans son hall d'entrée (vous pouvez aussi en profiter pour aller aux toilettes). L'architecture combinant le contemporain et l'ancien y est très belle et très réussie. La sculpture de dalles de béton blanchi disposées en porte-à-faux et qui repose dans le bassin d'eau devant vous est l'œuvre de l'artiste Astri Reush et s'intitule *La débâcle*. Elle symbolise les banquises du fleuve qui, à l'époque, montaient jusqu'à cet endroit.

Informations : 418-643-2158 ou 1-866-710-8031 (ligne sans frais partout au Canada et aux États-Unis)

Heures d'ouverture : tous les jours de 9h30 à 18h30 (du 24 juin au 4 septembre)

du mardi au dimanche de 10h à 17h (du 5 septembre au 23 juin)

Visites guidées : informez-vous au comptoir d'accueil

Droits d'entrée : adultes 8 $ – aînés 7 $ – étudiants 5 $ – enfants : gratuit

64. *Ex Machina*

Traversez le musée par l'intérieur et sortez par la rue Dalhousie (directement devant vous). Tournez à gauche et, sur la rue Dalhousie, marchez vers la rue de la Barricade. Un peu plus loin devant vous, vous pouvez voir le centre de création des arts de la scène *Ex Machina*, logé dans une ancienne caserne de pompiers, construite en 1912. *Ex Machina* est fondée, en 1993, par Robert Lepage, homme de scène et réalisateur connu mondialement. *Ex Machina* est une compagnie multidisciplinaire où se côtoient acteurs, producteurs, scénaristes, infographistes, musiciens, acrobates, etc. La caserne a l'avantage de posséder une grande salle multifonctionnelle.

65. Rue de la Barricade

Tournez à gauche sur la rue de la Barricade. Sur cette rue, vous pouvez voir, entre les rues Saint-Pierre et Sault-au-Matelot, une plaque commémorant les attaques avortées des troupes américaines sur Québec, en décembre 1775. À cette époque, les colonies américaines sont mécontentes des taxes réclamées par la Grande-Bretagne et menacent militairement leur ancienne mère patrie, entre autres en tentant d'envahir Québec, toujours sous contrôle britannique. Les Américains décident d'attaquer la ville le 31 décembre, car les contrats de leurs miliciens se terminent à cette date. Les généraux Richard Montgomery (1736-1775) et Benedict Arnold (1741-1801) lancent l'assaut contre les troupes du gouverneur britannique Guy Carleton, lord Dorchester (1724-1808) en pleine nuit. Une première barricade, au coin des rues Côte de la Canoterie et Côte du Colonel-Dambourgès, cède à l'attaque, mais une seconde barricade, sur la rue de la Barricade au coin de Sault-au-Matelot, résiste à l'envahisseur. Il faut dire que les troupes américaines, après un long voyage par les terres depuis la Nouvelle-Angleterre (troupes d'Arnold) et après des combats dans la région montréalaise (troupes de Montgomery), sont épuisées à leur arrivée à Québec. En outre, ils ne s'attendaient pas à ce que les miliciens canadiens-français, qui avaient combattu contre les Britanniques quinze ans plus tôt, s'allient désormais à la Couronne anglaise pour les combattre...

66. Place de la F.A.O.

Continuez jusqu'à la rue Sault-au-Matelot et tournez à droite. Selon la légende, la rue Sault-au-Matelot devrait son nom à un matelot qui serait tombé de la falaise à cet endroit. En fait, la rue possède son nom depuis les débuts de la colonie et, à l'époque, « sault » est employé pour parler de « chute » : en effet, une chute d'eau se déversait à cet endroit au XVIIe siècle.

À l'angle des rues Saint-Paul, Saint-Pierre et Sault-au-Matelot, vous vous trouvez sur la place de la FAO (Food and Agriculture Organization of the United Nations ou, en français, l'Organisation des Nations Unies pour l'alimentation et l'agriculture). La sculpture qui trône en son centre souligne le 50ᵉ anniversaire de la fondation de cet organisme, en 1945, à Québec. L'œuvre est de Richard Purdy et se nomme *La vivrière*. Elle symbolise le cycle perpétuel de la vie et la quête de l'humain pour sa survie en imitant la proue d'un bateau qui avance, rempli de fruits et de légumes. D'ailleurs, tout le pavé autour rappelle l'eau et les vagues qui montaient jusqu'à cet endroit.

Si vous voulez allez dans le Vieux-Port, tournez à droite sur la rue Saint-Paul. Sinon, tournez à gauche.

67. Le Vieux-Port

Cette promenade est facultative (elle allonge beaucoup le parcours), mais sachez que le détour en vaut le coup, surtout si vous êtes passionné de navigation. Depuis le début de la colonie, le port joue un rôle important dans le développement de la ville et connaît une expansion jusqu'au XIXᵉ siècle. On y fait d'abord le commerce de fourrures, puis de bois, de céréales et autres produits. Cependant, à la fin du XIXᵉ siècle, le port vit un certain déclin à cause d'une diminution des activités maritimes : entre autres, l'arrivée des bateaux à vapeur, du chemin de fer et la canalisation du Saint-Laurent entraînent un déplacement du centre commercial de la province vers Montréal. À partir des années 1970, on rénove le Vieux-Port qui accueille aujourd'hui des bateaux de plaisance et sur la Pointe-à-Carcy, vous verrez des bateaux de croisières. Vous êtes donc au bon endroit pour profiter d'une croisière qui vous permettra de voir Québec sous un autre angle. Plusieurs croisières sont offertes autour de Québec, d'une durée de 1h30 à 7h, avec repas ou non, le jour ou le soir, pour des prix variant entre 27 $ et 65 $ (pour un adulte). La saison régulière dure habituellement de mai à octobre.

Croisières AML
Informations : 1-800-563-4643

Croisières Le Coudrier
Informations : 1-800-600-5554

Croisières Groupe Dufour
Informations : 1-800-463-5250

Si vous voulez vous rendre dans le Vieux-Port, poursuivez sur la rue Saint-Paul jusqu'à la rue Dalhousie, traversez cette rue et empruntez le passage piétonnier entre les deux immeubles. Vous serez alors non loin du terminal de croisières. Dans le Vieux-Port, vous découvrirez l'Agora, un lieu de spectacle, et la Pointe-à-Carcy, un espace vert offrant une vue directe sur le fleuve. Vous passerez aussi devant l'édifice de la Douane (construit en 1856) et le Musée naval de Québec. Le musée présente l'histoire maritime de Québec à travers ses principaux événements et conflits, de la colonie française à aujourd'hui (Pour informations : 418-694-5387).

En allant vers le Bassin Louise, vous verrez de nombreux bateaux de plaisance. Dans les années 1880, une jetée est construite dans l'estuaire de la rivière Saint-Charles (attenante au Vieux-Port) et ce bassin est alors nommé Louise, en l'honneur d'une des filles de la reine Victoria. En vous y rendant, vous passerez devant le Centre d'interprétation du Vieux-Port de Québec (malheureusement fermé jusqu'en 2009 pour faire place aux festivités du 400e anniversaire de la ville de Québec). Plus loin, vous pourrez entrer dans le Marché du Vieux-Port, qui présente surtout des produits maraîchers et horticoles, et vous pourrez aussi vous y louer un vélo.

Cyclo Services

Informations : 418-692-4052 ou 1-877-692-4050
Heures d'ouverture : ouvert tous les jours du 1er mai au 31 octobre
Droits d'entrée : 12 \$/heure (par personne, par vélo)

68. Rue Saint-Paul

À partir de la place de la FAO, tournez à gauche sur la rue Saint-Paul, vers la Côte du Colonel-Dambourgès. Sur la rue Saint-Paul, vous trouverez de nombreux commerces accueillants, de petites terrasses où boire un café, des antiquaires, des galeries d'art et des boutiques. Bordée d'arbres, cette rue est très jolie et agréable pour y déambuler.

69. Rue Sous-le-Cap

En empruntant l'étroit Passage de la Demi-Lune, à votre gauche, entre deux bâtiments, vous arriverez à l'étrange rue Sous-le-Cap, qui ressemble davantage à une ruelle. En effet, autrefois nommée la Ruelle des chiens, on voit apparaître pour la première fois sur une carte la rue Sous-le-Cap au début du XVIIIe siècle. Pendant longtemps, cette rue est considérée comme mal famée : les femmes des matelots et les prostituées y habitant, toute la « faune » du port s'y retrouvait.

Tournez à droite sur la rue et remarquez, du côté droit, l'arrière des maisons et, à gauche, les hangars auxquels on accède par une passerelle. Ce méandre de passerelles, d'escaliers, de balcons, de cordes à linge et de bacs à fleurs est tout à fait inusité ! Accrochés dans le roc, les remparts s'élèvent au-dessus du « cap ». Vous comprenez mieux les expressions « Haute-Ville » et « Basse-Ville » de Québec...

Allez au bout de la rue Sous-le-Cap pour vous rendre à la Côte du Colonel-Dambourgès. Tournez à gauche et montez la côte. Rendu à la Côte de la Canoterie (ainsi nommée parce que les Jésuites amarraient leurs canots juste en bas, près de la rivière Saint-Charles), traversez la rue et montez l'escalier de bois droit devant vous. Vous rejoindrez ainsi la rue des Remparts.

Fin : Rue des Remparts (au coin de la rue Saint-Flavien)

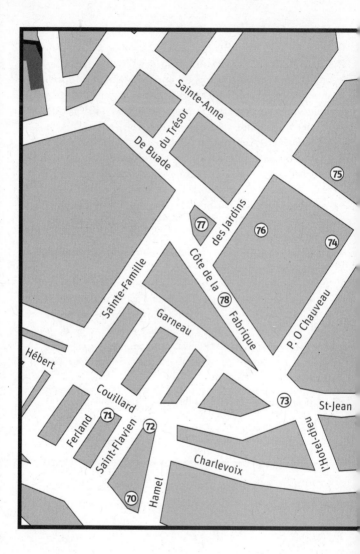

Sainte-Anne

du Trésor

De Buade

des Jardins

Sainte-Famille

Côte de la Fabrique

Garneau

Hébert

Couillard

Ferland

Saint-Flavien

Hamel

Charlevoix

P. O Chauveau

l'Hotel-dieu

St-Jean

(70) (71) (72) (73) (74) (75) (76) (77) (78)

68

Circuit 5

Le Musée du Bon-Pasteur et l'Hôtel de ville

DÉPART : RUE DES REMPARTS
(AU COIN DE LA RUE SAINT-FLAVIEN)

70. Maison Montcalm

Marchez sur la rue des Remparts vers la droite en direction de la rue Saint-Flavien et voyez la maison Montcalm qui est en fait trois maisons réunies par une façade uniformisée. La maison du centre, au numéro 47, est la plus ancienne. À cet endroit loge le général Montcalm pendant quelques mois, entre 1758 et 1759 (# 113 et 118). Fait à noter : la maison possède encore ses voûtes originales datant de 1727. En face de la maison, une agréable aire de repos vous permettra de reprendre votre souffle après la dure montée !

71. Musée du Bon-Pasteur

Revenez maintenant à la rue Ferland et remontez jusqu'à la rue Couillard. Cette rue doit son nom à Guillaume Couillard, premier laboureur à Québec et gendre de Louis Hébert (# 33). Elle portait autrefois le nom de rue Saint-Joachim. Partez à droite sur la rue Couillard.

Dans le bâtiment situé au coin des rues Couillard et Ferland, Marie Métivier porte assistance, à partir de 1852, aux filles-mères qui sont démunies. Dès 1855, son œuvre est incorporée à l'« Hospice Saint-Joseph de la maternité de Québec ». À partir de 1874, ce sont les Sœurs du Bon-Pasteur qui prennent en charge cet hospice et font construire le corps principal du bâtiment en 1878. En 1887, une aile, occupée par l'Hospice de la Miséricorde, est ajoutée. En allant sur la rue Ferland, vous pouvez d'ailleurs voir l'ancienne entrée des filles-mères et le linteau de l'hospice (cette porte est aujourd'hui devenue une fenêtre). Honteuses, ces filles pénétraient dans l'édifice, jusqu'en 1929, par une entrée plus discrète que la porte principale. Environ 300 femmes par année sont ainsi accueillies à l'hospice. En 1929, l'hospice devient la Maison Béthanie. En 1990-1991, on reconvertit le bâtiment principal et les religieuses en occupent une partie alors que l'autre partie est occupée par un musée dédié à Marie Fitzbach.

Marie Fitzbach est la fondatrice des Servantes du Cœur Immaculé de Marie, dites « Sœurs du Bon-Pasteur de Québec » (1850), surtout dévouées à l'aide aux femmes et à l'enseignement. C'est la première fondatrice d'une congrégation religieuse qui soit née à Québec. Le musée, réparti sur trois étages et présentant des artefacts et des vidéos, lui est dédié, mais est aussi consacré à l'histoire religieuse de Québec à partir de 1850 jusqu'à aujourd'hui. Des visites guidées sont offertes.

Informations : 418-694-0243
Heures d'ouverture : du mardi au dimanche de 13h à 17h
Droits d'entrée : 2 $ pour les adultes – enfants : gratuit

72. Maison François-Xavier-Garneau

Sur la rue Couillard, au coin de la rue Saint-Flavien, on trouve la Maison François-Xavier-Garneau. Garneau (1809-1866) est un des premiers historiens du Canada francophone. Piqué par le rapport de Lord Durham qui déclarait que les Canadiens-Français constituaient un peuple sans histoire, Garneau écrit, entre 1845 et 1848, la première *Histoire du Canada*. Il habite cette maison seulement les dernières années de sa vie puisqu'elle date de 1862. Les plans sont de l'architecte Joseph-Ferdinand Peachy (1830-1903).

La maison appartient actuellement à Louis Garneau, propriétaire d'une compagnie d'équipement sportif et lointain parent de François-Xavier Garneau (tout comme l'astronaute Marc Garneau, le poète Hector de Saint-Denys Garneau, le journaliste Richard Garneau, etc.). Vous y verrez le décor d'une maison bourgeoise de style victorien (mobilier, objets, tapisseries, etc.). À Noël, vous pouvez voir un arbre décoré comme autrefois, avec des boules de Noël et une crèche datant du xixe sicèle.

Visites guidées seulement (durée de 50 minutes).
Informations : 418-692-2240
Horaire des visites guidées : Dimanche à 13h, 14h, 15h et 16h
(fermé de février à avril)
Droits d'entrée : 5 $ par personne

73. Place des Livernois

Continuez sur la rue Couillard et, au coin des rues Saint-Jean, Hôtel-Dieu et Couillard, vous vous trouvez sur la place des Livernois. Vous pouvez d'ailleurs voir un joli monument présentant les visages de certains membres de cette célèbre famille de photographes de la ville de Québec. La Maison J.E. Livernois Ltée a ouvert son premier studio de photographie en 1854 (alors situé au 31 1/2 rue des Fossés) et a fermé seulement en 1974, après 120 années d'activité. Le fondateur de la maison est Jules-Isaïe Livernois (1830-1865). Son fils, Jules-Ernest Livernois (1851-1933), puis par la suite son petit-fils Jules Livernois (1877-1952) assurent la relève. Au 1200 de la rue Saint-Jean se trouvait leur maison, aujourd'hui devenue le Pub St-Patrick. Les Livernois ont connu trois générations de photographes, surtout spécialisés dans les portraits. Ils ont immortalisé une bonne partie de l'élite de Québec, particulièrement le clergé, tenant ainsi un rôle actif sur le plan du patrimoine québécois.

74. Place des Frères éducateurs

Prenez la rue de la Côte de la Fabrique et tournez à droite sur la rue Pierre-Olivier-Chauveau. Pierre-Olivier Chauveau (1820-1890) est premier ministre du Québec de 1867 à 1873, soit le premier gouvernement québécois après la Confédération. Au coin des rues Pierre-Olivier-Chauveau et Sainte-Anne, vous pouvez voir un monument dédié aux religieux qui ont consacré leur vie à l'enseignement. Nommée *L'envol*, la sculpture est l'œuvre de Jules Lasalle en 1999. Un court texte, signé par l'artiste et gravé sur le socle, explique la symbolique de l'œuvre.

75. Édifice Price

Prenez la rue Sainte-Anne à votre gauche. De l'autre côté de la rue, l'édifice élevé que vous pouvez apercevoir est l'Édifice Price, construit en 1929. Il est le premier immeuble en hauteur de Québec et le seul du Vieux-Québec. Il est construit par la compagnie papetière Price Brothers comme siège social. William Price débarque à Québec en 1810 et s'impose rapidement dans l'industrie forestière grâce à un blocus continental de Napoléon Ier forçant la Grande-Bretagne à s'approvisionner en bois au Canada. La compagnie se spécialise d'abord dans le sciage puis dans la production de pâtes et papier et devient, grâce à des fusions, Abitibi Consolidated (actuellement, c'est un des plus grands producteurs de papier journal au monde). La *Price House* abrite aujourd'hui la résidence officielle du Premier ministre du Québec et la Caisse de dépôt et placement du Québec (important gestionnaire de portefeuilles). Juste à côté, l'hôtel Clarendon s'élève à l'emplacement de l'ancien théâtre du Marché à foin (le marché se trouvait juste en face).

76. Hôtel de ville

Le bâtiment que vous venez de contourner, avec un espace vert, est l'Hôtel de ville. Rendez-vous devant l'entrée principale, sur la rue des Jardins. À l'emplacement de l'actuel Hôtel de ville se trouvait anciennement le collège des Jésuites construit en 1635. Incendié en 1640, il est reconstruit entre 1647 et 1650. Des travaux d'agrandissement sont réalisés en 1725, mais, en 1759, les Anglais prennent possession des lieux et en font une caserne à partir de 1765. Peu bombardé pendant le siège de Québec, le bâtiment était alors dans un bon état, mais, quand les troupes anglaises l'abandonnent, il a très mauvaise mine. Il est démoli en partie en 1807 puis entièrement en 1878. Près de l'entrée de l'Hôtel de ville, vous pouvez voir tout ce qui reste de ce bâtiment, soit les trois pierres de l'ancien fronton de l'entrée portant les lettres IHS parfois traduit comme étant *Iesus hominum salvator* (Jésus sauveur des hommes) ou alors comme abréviation du nom Jésus : IH-Sous. On construit l'actuel Hôtel de ville en 1895-1896 d'après les plans de l'architecte Georges-Émile Tanguay (1858-1923). Au fronton de l'Hôtel de ville, vous pouvez voir flotter le drapeau de la ville : le bateau, nommé Don-de-Dieu, rappelle le navire de Samuel de Champlain, et la bordure crénelée symbolise les fortifications. La devise de la ville est « Don de Dieu feray valoir ».

77. Place de l'Hôtel de ville

Faisant face à l'Hôtel de ville, vous pouvez voir une petite place, qui était autrefois la place du marché Notre-Dame et où trône le monument du cardinal Elzéar-Alexandre Taschereau (1820-1898). Œuvre du sculpteur français Vermare et coulée en bronze à Paris, la statue est inaugurée en 1923. Elle est, semble-t-il, très ressemblante. Le cardinal Taschereau, premier cardinal canadien (1886) a, entre autres, la charge de supérieur du Séminaire de Québec, est recteur de l'Université Laval et aide, en 1847, les Irlandais victimes du typhus et mis en quarantaine à Grosse-Île (en aval de l'île d'Orléans).

78. Côte de la Fabrique

Descendez maintenant la Côte de la Fabrique pour revenir à la place des Livernois, au coin des rues Saint-Jean, Côte de la Fabrique et Couillard. La Côte de la Fabrique est, dès les débuts de la colonie, un sentier qui mène vers la rivière Saint-Charles et suit le lit d'un cours d'eau relativement important. Elle apparaît sur les cartes en 1660 et tient son nom du fait qu'elle traversait le « fief de la fabrique ». Sur la Côte de la Fabrique, non loin de Sainte-Famille, vous trouverez la Librairie générale française (au numéro 10 de la Côte de la Fabrique). Fondée en 1971, cette librairie possède un des fonds les plus importants de la région de Québec (avec la librairie Pantoute située au 1100, rue Saint-Jean). Par ailleurs, au numéro 32 de la côte, se trouvait autrefois la librairie Crémazie appartenant au poète québécois Octave Crémazie. Toujours sur la Côte de la Fabrique, vous pouvez aussi voir le magasin Simons (#104) qui était anciennement le cinéma Empire et, plus tard, le Musée de Madame Belley. Cette femme, qui n'est jamais passée inaperçue, était connue de tous, dans les années 1960, à cause de son excentricité.

Fin : Rue Saint-Jean au coin de la rue de l'Hôtel-Dieu (Place des Livernois)

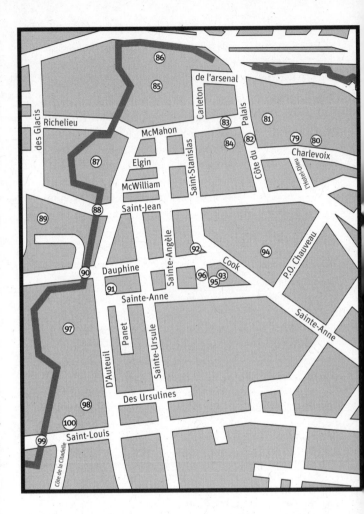

74

Circuits 6

L'Hôtel-Dieu et les portes Saint-Jean,
Kent et Saint-Louis

**DÉPART : RUE SAINT-JEAN AU COIN DE LA
RUE DE L'HÔTEL-DIEU (PLACE DES LIVERNOIS)**

79. Monument de Marie-Catherine de Saint-Augustin

Prenez la rue de l'Hôtel-Dieu et, vis-à-vis cette rue, sur la rue
Charlevoix, vous pouvez voir une statue en l'honneur de Marie-
Catherine de Saint-Augustin (1632-1668), née sous le nom de
Catherine de Longpré de Saint-Sauveur-le-Vicomte
(Normandie). La statue la représente appuyée à un pilier symbo-
lisant le monastère de Bayeux, où elle rentre en 1644 et qu'elle
quitte en 1648 pour venir s'installer en Nouvelle-France.
Cofondatrice de l'Église canadienne, elle poursuit l'œuvre des
Augustines entreprise en 1639. Elle consacre sa vie aux démunis
et aux malades et est béatifiée en 1989 par Jean-Paul II.

80. Monastère des Augustines de l'Hôtel-Dieu
de Québec et Musée des Augustines

Devant vous, vous avez le Monastère des Augustines de
l'Hôtel-Dieu de Québec. En 1637, Marie-Madeleine de
Vienerot, duchesse d'Aiguillon (1604-1675), nièce du cardinal
de Richelieu, signe, avec les Augustines Hospitalières du
monastère de Dieppe (Normandie), le contrat de fondation
d'un hôpital pour la Nouvelle-France. De 1637 à 1646, des travaux de construction sont entrepris. Entre-temps, en 1639,
trois religieuses arrivent à Québec et ouvrent ainsi le premier
hôpital en Amérique du Nord. Elles fonderont onze autres éta-
blissements au fil des années, mais l'Hôtel-Dieu de Québec
demeure le plus important et est un des plus anciens monastè-
res du Québec. Dès 1695, on agrandit l'hôpital selon les plans

de François de la Joüe (vers 1656-1719). Un incendie détruit cet agrandissement en 1755, mais il est reconstruit sur les fondations. Le monastère, jouxtant l'hôpital, occupe les plus anciens bâtiments de cet ensemble. Le cloître date de 1757 et est utilisé par les Anglais comme caserne et hôpital pour les soldats après la Conquête. Les Augustines reprennent possession de leur bâtiment en 1784. L'église est érigée entre 1800 et 1803 et, en 1825, le premier hôpital détaché du monastère est construit. Vous ne pouvez pas apercevoir ces anciens bâtiments à partir de la rue, mais vous pouvez voir la Chapelle, qui date de 1931. Le musée, au 32, rue Charlevoix, est administré par les chanoinesses de Saint-Augustin. Il est logé dans le bâtiment le plus récent de l'ensemble. Il est ouvert depuis 1958 et présente plusieurs objets évoquant la mission des Augustines, la vie à Québec depuis le XVIIe siècle et l'évolution de la médecine au pays. L'hôpital appartient aujourd'hui à l'État québécois, mais les Augustines sont toujours propriétaires du monastère.

Informations : 418-692-2492
Heures des présentations en français : du mardi au samedi de 9h30 à 12h et de 13h30 à 17h. Le dimanche de 13h30 à 17h.
Droits d'entrée : gratuit

81. Hôtel-Dieu

En continuant sur la rue Charlevoix, à gauche, en direction de la Côte du Palais, vous pouvez voir, à votre gauche, la Fresque de l'Hôtel-Dieu de Québec. Ce trompe-l'œil, réalisé en 2003 par Murale Création, explique le développement et la mission de cette institution. Construit en 1644 sur le site actuel, l'Hôtel-Dieu a toujours été un établissement pour les soins de santé, bien qu'il ait évolué au fil du temps. Le dernier bâtiment, de quinze étages, est construit en 1954. Aujourd'hui encore, l'Hôtel-Dieu est un hôpital, actif en recherche de pointe en médecine. Fait inusité, entre 1800 et 1845, 1375 enfants nés hors mariage sont abandonnés dans un tour, c'est-à-dire une armoire ronde à pivot avec une ouverture, située à l'Hôtel-Dieu. Le tour des enfants est détruit, mais, en 1866, un mémorial est construit devant la porte du Monastère des Augustines (où commence le cloître). Tournez à droite sur la Côte du Palais pour voir l'entrée principale de l'hôpital.

82. Côte du Palais

La Côte du Palais obtient son nom au XIXe siècle, mais elle le doit au palais de l'Intendant vers qui elle menait, à l'époque du régime français. La fonction d'intendant est instituée en 1663 par Louis XIV pour régler les problèmes dont souffrait la colonie (sous-peuplement et sous-financement, principalement). Jean Talon (1625-1694) est le second intendant de la Nouvelle-France, mais le premier à venir s'y installer. Il met en place une politique nataliste, entre autres avec l'envoi des « filles du Roy ». Les filles du Roy sont des filles célibataires qui sont envoyées en Nouvelle-France avec une dot du roi pour épouser des colons (la colonie est alors très majoritairement masculine). Entre 1663 et 1673, 770 filles arrivent ainsi et, quelques années plus tard, la population de la colonie triple.

83. Rue McMahon

À partir de la Côte du Palais, tournez à gauche sur la rue McMahon (au coin se trouve l'Armée du salut). Cette rue porte le nom de l'abbé Patrick McMahon, deuxième curé des catholiques anglophones de la ville de Québec. Vous entrez maintenant dans le quartier des Irlandais et plusieurs bâtiments témoignent de leur présence à une certaine époque. En fait, en 1861, sur une population de 60 000 habitants, Québec compte 40 % d'anglophones et, de ces anglophones, 70 % sont d'origine irlandaise.

84. Ancienne église St.Patrick et école St.Patrick (quartier des Irlandais)

Sur la rue McMahon, à votre gauche, vous voyez la façade de l'ancienne église St.Patrick. Construite en 1832 selon les plans de Thomas Baillairgé (1791-1859), c'est la plus ancienne église de la communauté irlandaise catholique. Avant cette date, les Irlandais catholiques célébraient leur culte dans les mêmes églises que les francophones catholiques. L'église St.Patrick est utilisée jusqu'en 1959 et est reconnue monument historique.

Un incendie, en 1970, ne laisse que trois murs. Ces murs sont maintenant intégrés à une nouvelle annexe de l'Hôtel-Dieu qui abrite un centre de recherche médicale de pointe. Sur la rue Saint-Stanislas, vous pouvez d'ailleurs voir le presbytère et la résidence de l'abbé Patrick McMahon (au 6 de la rue Saint-Stanislas) ainsi que la St.Brigid's home (un asile pour personnes âgées et orphelins), tout à côté de l'église St.Patrick (aujourd'hui déménagée à l'extérieur des murs de la vieille ville). En outre, en face de l'église, au 10 de la rue McMahon, se trouve la deuxième école St.Patrick (la première étant sur la rue des Glacis). Construite en 1883, elle est fermée en 1919.

Continuez sur McMahon et, au coin de la rue Saint-Stanislas, à votre droite, vous pouvez voir un monument d'inspiration celtique offert par l'Irlande à la ville de Québec pour commémorer l'aide apportée par les Québécois aux Irlandais immigrés. Durant la grande famine du XIXe siècle, des milliers d'Irlandais sont venus s'installer au Québec, souvent dans des conditions fort difficiles. Beaucoup sont morts lors de la traversée et d'autres ont succombé lors de la quarantaine sur Grosse-Île, une île à 46 km en aval de Québec.

85. Parc-de-l'Artillerie

Le parc se trouvant juste derrière le monument offert par l'Irlande est le Parc-de-l'Artillerie. Le parc doit son nom à la présence du Royal Regiment of Artillery au XIXe siècle. Il est un des endroits stratégiques de la défense de la ville puisqu'il protège d'une possible attaque provenant de la rivière Saint-Charles, qui borde une partie de la ville. Le parc comprend plusieurs bâtiments que vous pouvez encore aujourd'hui voir et visiter. Les bâtiments à visiter sont la redoute Dauphine (1712), c'est-à-dire le grand bâtiment blanc prenant racine au bas de la pente ; le logis des officiers anglais (1818) qui est la coquette petite maison donnant sur la rue McMahon, en face de la redoute ; et la fonderie de l'Arsenal (1903) qui est un peu plus loin. Vous devez commencer votre visite à la fonderie (à partir de la rue McMahon, tout juste à côté de la rue d'Auteuil, vous pouvez voir le panneau d'accueil : engagez-vous entre les bâtiments et vous verrez l'entrée au bout, à droite). Le coût d'entrée comprend la visite de ces trois bâtiments où des guides costumés vous accueilleront et répondront à vos questions (seulement durant la période estivale).

Informations : 418-648-4205
Horaire des visites guidées (en français) :
Heures d'ouverture : début avril à la mi-octobre
Droits d'entrée : adultes 4 $ – aînés 3,50 $ – jeune 2 $ – famille : 10 $

La fonderie

La fonderie est construite sur l'ancien emplacement d'une poudrière. Vous pouvez y voir le célèbre plan-relief de Québec réalisé en 1808, selon la tradition des ingénieurs militaires, par Jean-Baptiste Duberger (1767-1821), arpenteur, et John By (1779-1836), ingénieur (plusieurs affirment que seul Duberger serait l'auteur véritable de l'œuvre). Cette maquette aurait été construite sur l'initiative personnelle des deux hommes, mais elle sert ensuite à élaborer les futures installations défensives qui seront ajoutées aux constructions existantes. Le plan-relief est construit à l'échelle 1 : 300e et mesure à l'époque 10 mètres, mais est amputé de presque la moitié lors de son séjour en Angleterre. Expédié en Angleterre en 1810, il ne revient à Québec qu'en 1908. Il sera exposé à partir de 1979.

La redoute Dauphine

À la fin de votre visite de la fonderie, revenez sur vos pas sur la rue McMahon. Vous pouvez continuer votre visite à la redoute Dauphine. La redoute est construite en 1712 et complétée en 1749 par Gaspard-Joseph Chaussegros de Léry (1682-1756), qui est l'ingénieur en chef de la colonie. Elle est la deuxième construction militaire la plus ancienne de la ville et est en fonction jusqu'en 1871. Le bâtiment de quatre étages présente des voûtes, une casemate, une chambrée française de soldats, une cuisine typique du début du XIXe siècle, le luxueux mess des officiers anglais et le salon du surintendant de l'Arsenal. Il comporte des contreforts remarquables et des boulins. Vous aurez une bonne idée de la vie des militaires à cette époque, car tout est conçu pour nous donner l'impression qu'ils sont toujours présents.

Le logis des officiers

Tout à côté de la redoute se trouve le logis des officiers avec un joli jardin. Le logis était auparavant une boulangerie reconvertie pour les officiers britanniques. Elle est meublée comme en 1830 et, encore une fois, vous pourrez avoir une bonne idée de la vie des officiers et de leur famille (ouvert seulement pendant les mois de juillet et août).

86. Les casernes

Au bas de la colline, vous pouvez apercevoir les premières casernes de Québec, datant du XVIIIe siècle (construites sous le régime français selon les plans de Chaussegros de Léry). Auparavant, les soldats logent chez l'habitant, mais la population est mécontente d'avoir à héberger des soldats et les autorités décident de construire ces casernes. Longues de 160 mètres et présentant deux étages, elles pouvaient accueillir de 200 à 400 soldats, mais étaient plutôt insalubres et surpeuplées. Vous ne pouvez pas les visiter, mais vous pouvez aller vous promener à l'arrière des bâtiments et suivre des panneaux indicatifs très instructifs. Les troupes françaises s'y sont d'abord installées puis les troupes britanniques jusqu'en 1871. Ces bâtiments ont été convertis dans les années 1880 en ateliers et fonderies (entre autres, on y fabriquait des obus et des cartouches) jusqu'en 1964.

L'espace vert au devant des casernes servait de terrain d'exercices militaires. Encore aujourd'hui, aux mois de juillet et d'août, vous pouvez assister gratuitement à une démonstration de tir à la poudre noire (à 13h15 et 15h15).

Si vous vous promenez dans le Parc-de-l'Artillerie, rendez-vous au coin des fortifications, dans le fond du parc. Ce lieu, de forme pentagonale, était autrefois connu comme étant la redoute du Palais et a déjà été le logis du bourreau, mis à l'écart des citoyens. Tout au long de votre promenade dans le parc, des panneaux explicatifs vous en apprendront davantage sur ce parc et vous pourrez voir plusieurs canons (# 32).

87. *Les Dames de Soie*, Économusée de la poupée

Retournez maintenant vers la fonderie et, juste à côté de l'entrée, vous trouverez *Les Dames de Soie*, situé dans l'aile sud de l'entrepôt d'affûts de canons (les affûts sont faits d'un assemblage de diverses pièces de bois nécessaires pour supporter les canons). Cet entrepôt, dont la construction débute en 1815, servait à protéger les affûts de l'humidité avant leur utilisation. Aujourd'hui y loge l'économusée de la poupée, c'est-à-dire un lieu intermédiaire entre le magasin, le musée et la fabrique. Les *Dames de Soie* présentent une boutique originale où vous pourrez acheter des poupées faites sur place (ou non) et commander la poupée de vos rêves. Un centre d'interprétation présente l'histoire de la poupée et des Dames de soie. Finalement, vous pouvez aussi voir des artisans à l'œuvre et fabriquer vous-même votre propre poupée. Le concept est intéressant et allie bien le magasinage avec l'apprentissage...

Informations : 418-692-1516
Heures d'ouverture : du lundi au samedi de 11h à 17h
Dimanche de 12h à 16h
Droits d'entrée : gratuit (4 $ pour une visite guidée)

88. Porte Saint-Jean

En sortant du magasin, vous pouvez monter les escaliers qui conduisent au-dessus de la porte Saint-Jean pour jeter un coup d'œil aux alentours. Ensuite, redescendez sur la rue Saint-Jean. Cette rue tiendrait son nom de Jean Bourdon (1601-1668), arpenteur du roi Louis XIV qui a, entre autres, fait le *Plan de Québec* en 1640 et habité sur cette rue. La rue conserve sa vocation commerciale depuis fort longtemps et vous pouvez y faire un peu de magasinage, autant à l'intérieur qu'à l'extérieur des murs.

Passez sous la porte Saint-Jean. Une première porte est construite en 1693 par Boisberthelot de Beaucours (vers 1662-1750), mais elle faisait partie d'une enceinte à l'intérieur de l'enceinte actuelle (vis-à-vis la rue Sainte-Ursule). Elle est donc déplacée en 1720 et reconstruite en 1757 sur les remparts actuels par Gaspard-Joseph Chaussegros de Léry (1721-1797) et à nouveau détruite en 1898. La porte que vous voyez aujourd'hui date de 1939.

La porte souligne le fait que Eustache Lanoullier de Boisclerc, grand voyer de la Nouvelle-France, part, le 5 août 1734, vers Montréal et inaugure ainsi le Chemin du Roy, première route carrossable au Canada (aujourd'hui, c'est la route 138). La route, qui relie Québec et Montréal, est longue de 280 kilomètres et fait 7,4 mètres de largeur, un ouvrage impressionnant à cette époque ! Avant la réalisation de cette route, seule la navigation sur le fleuve permettait la liaison entre ces deux villes.

89. Place D'Youville

En sortant à l'extérieur des murs par la porte Saint-Jean, vous arriverez sur la Place D'Youville, place souvent aménagée en scène pendant l'été et en patinoire pendant l'hiver. La sculpture que vous voyez sur cette place est une œuvre d'Alfred Laliberté (1878-1953), intitulée *Les muses*. Elle est offerte par le gouvernement du Québec à la ville de Québec pour son 375e anniversaire.

Autour de cette place, vous verrez, entre autres, le Cabaret du Capitole (à votre droite), prestigieuse salle de spectacle inaugurée en 1903, et le Palais Montcalm (à votre gauche), construit en 1932 et aussi salle de spectacle. Revenez maintenant dans la vieille ville, par la porte Saint-Jean, et tournez à droite sur la rue D'Auteuil.

Sur le coin des rues Saint-Jean et D'Auteuil se trouve le célèbre Chantauteuil, restaurant fréquenté par toute la communauté artistique de la ville de Québec dans les années 1970.

90. Porte Kent

Marchez sur la rue D'Auteuil jusqu'à la rue Dauphine. La porte que vous voyez, à votre droite, est la porte Kent, construite en 1879. Elle est construite sous l'ordre de Lord Dufferin (1826-1902), gouverneur de l'époque. Autrefois, une poterne (soit une petite porte) se trouvait à cet endroit. La porte tient son nom du duc de Kent (George IV), père de la reine Victoria. Le duc a même vécu à Québec avec Madame de Saint-Laurent qui lui a donné deux enfants nés hors mariage et donnés en adoption.

91. Chapelle des Jésuites

Au coin des rues D'Auteuil et Dauphine, à votre gauche, vous pouvez voir une des seules traces de la présence des Jésuites dans la ville. Les Jésuites, arrivés à Québec en 1625, y établissent le premier collège en Amérique du Nord en 1635. Mais, après la Conquête (1759), le régime britannique leur interdit de faire du recrutement et le collège est fermé. En 1800 meurt le dernier Jésuite de Québec, le père Jean-Joseph Casot (1728-1800). Par la suite, des membres de la congrégation Notre-Dame de Québec entreprennent la construction de la Chapelle en 1818 selon des plans de François Baillairgé (1759-1830). En 1849, la ville de Québec voit le retour des Jésuites ; la chapelle ainsi que la résidence adjacente leur appartiennent depuis 1907. En 1930, on canonise les Jésuites Jean de Brébeuf (1593-1649) et Isaac Jogues (1607-1646), martyrisés et tués en Huronie. Vous pouvez d'ailleurs voir, à l'intérieur de la chapelle, près de l'autel, des sculptures de ces deux martyrs (œuvres du sculpteur Alfred Laliberté – 1878-1953). Depuis 1992, la chapelle et la résidence sont devenues un centre d'aide pour les jeunes itinérants (Pour informations : 418-694-9616).

92. L'Institut canadien

Tournez à gauche sur la rue Dauphine et rendez-vous à la Chaussée des Écossais, une rue piétonnière. Vous êtes en plein cœur du secteur protestant et anglophone de la ville. À gauche de la rue Dauphine, sur la Chaussée des Écossais, vous apercevez un bâtiment construit en 1848 selon les « Commissionner's Churches » d'Angleterre. Ce type d'église n'a pas de clocher parce que cela était jugé trop coûteux. Le bâtiment portait anciennement le nom d'église méthodiste Wesley (du nom du fondateur de cette branche du protestantisme). En 1931, cette congrégation méthodiste quitte son église pour s'unir à celle de l'Église Chalmers (# 9). En 1941, l'édifice devient propriété de la ville de Québec. Au cours des années 1940, il est transformé en salle de spectacle et bibliothèque municipale et devient l'Institut canadien de Québec. À noter : on ne peut pas visiter l'intérieur.

Sur le mur du parvis, près de l'escalier, l'œuvre que vous voyez est de Luc Archambault et s'intitule *Nous sommes un peuple* (réalisée en 2000). Elle commémore les 150 ans de l'Institut canadien. En face, vous pouvez voir la minuscule Place de l'Institut canadien.

93. Église presbytérienne St.Andrew

Continuez sur la rue Dauphine et rendez-vous sur la rue Cook, du nom d'un pasteur de l'église presbytérienne St.Andrew : la petite église que vous pouvez voir est l'église St.Andrew. Cette église est celle de la plus ancienne congrégation anglophone d'origine écossaise du Canada. Dès la Conquête, en 1759-1760, elle réunit des militaires issus principalement du 78e Régiment des Fraser Highlanders qui ont servi dans l'armée de Wolfe. Le premier pasteur est l'aumonier du régiment, Robert MacPherson. Mais, dès 1763, la congrégation devient civile et se nomme alors la « Scotch Congregation » (en association avec l'Église d'Écosse). En 1802, une pétition de 148 noms est envoyée au roi George III pour qu'un terrain lui soit concédé pour la construction d'une église. En 1809, la construction du bâtiment débute, sous la direction de John Bryson, et l'église ouvre ses portes le 30 novembre 1810, le jour de la Saint-André. L'intérieur est conçu selon le style des églises écossaises, ce qui est rare au Canada. Aujourd'hui, cette église réunit une cinquantaine de membres. Si vous la visitez, ne manquez pas la galerie faisant face à la chaire surélevée, autrefois surnommée la « Galerie du Gouverneur ». Vous pourrez aussi faire un tour dans un petit musée attenant à l'église et qui rappelle l'histoire de cette congrégation. Des visites guidées sont offertes en juillet et août.

94. Édifice Jean-Baptiste de La Salle

Faisant face à l'église St.Andrew, vous voyez l'énorme édifice Jean-Baptiste de La Salle. Fondée en 1680 à Reims, en France, par l'abbé Jean-Baptiste de La Salle (canonisé en 1900), la congrégation des Frères des Écoles Chrétiennes se dévoue à l'éducation des enfants pauvres. Arrivés en 1837 au Québec, ils s'établissent d'abord à Montréal avant de venir s'implanter à Québec en 1843. Le bâtiment est aujourd'hui occupé par le Ministère des affaires municipales.

95. Le Manse et le Kirk Hall de l'église St.Andrew

Faites maintenant le tour de l'église par la rue Cook et la rue Sainte-Anne et, de la rue Sainte-Anne, revenez sur la Chaussée des Écossais, à votre droite. Une fois sur la Chaussée des Écossais, regardez à votre droite. À l'arrière de l'église, vous pouvez voir le Manse et le Kirk Hall. Le Manse (d'un mot écossais signifiant la maison du ministre ou presbytère), construit en 1836, était et est toujours la résidence du pasteur. Le Kirk Hall (1829), qui a d'abord été une école, devient le lieu de résidence du pasteur (1885) avant d'abriter une salle d'assemblée et une école du dimanche.

96. Chaussée des Écossais

En face du Manse et du Kirk Hall, de l'autre côté de la Chaussée des Écossais, vous pouvez voir l'édifice abritant aujourd'hui la *Literary and Historical Society of Quebec* (fondée en 1824), mais ce bâtiment, construit entre 1808 et 1814, a autrefois été la prison de Québec. À partir de 1861, la prison déménage sur les Plaines d'Abraham (# 118) et le bâtiment devient le Morrin College, grâce à un don du médecin Joseph Morrin (1794-1861). Ce collège anglophone, affilié à l'université McGill (Montréal) ferme ses portes en 1902, mais le bâtiment conserve le nom de Morrin Centre.

L'architecte du bâtiment est François Baillairgé, plusieurs fois mentionné dans ce guide. D'ailleurs, au milieu de la Chaussée des Écossais, vous pouvez voir un joli monument en l'honneur des Baillairgé, famille d'artistes, de sculpteurs et d'architectes. Originaire du Poitou, Jean (1726-1805) s'installe en 1741 à Québec. Suivent son fils, François (1759-1830), puis son petit-fils, Thomas (1791-1859) et le petit-cousin de Thomas, Charles (1826-1906). La place où vous vous trouvez présentement est aménagée en 1999 en l'honneur de la communauté anglophone de Québec et de son apport au développement de la ville. Plusieurs communautés ont participé à l'essor de la ville de Québec et, bien qu'elle soit aujourd'hui très majoritairement francophone (96 %), les Anglais, les Écossais et les Irlandais ont fortement influencé son développement et son histoire.

97. Parc de l'Esplanade

Reprenez la rue Sainte-Anne, à votre droite et marchez vers la rue D'Auteuil. Ne manquez pas de jeter un coup d'œil sur la très belle rue Sainte-Ursule. Rendu à la rue D'Auteuil, tournez à gauche. L'espace vert que vous voyez en avant est le parc de l'Esplanade. Autrefois utilisé comme pâturage, il est ensuite devenu le terrain d'exercice des troupes britanniques à partir des années 1830. Le parc longe les fortifications et est aussi le principal point de départ pour les promenades en calèche dans la vieille ville.

Du côté droit de la rue, en longeant le parc, vous verrez les bustes de Dante Alighieri (1265-1321), d'Alexandre Pouchkine (1799-1887), d'Émile Nelligan (1879-1941) et de Nguyên Trãi (1380-1442).

98. Centre d'interprétation des fortifications de Québec

Continuez sur la rue D'Auteuil jusqu'à la rue Saint-Louis. Près de la porte Saint-Louis, vous verrez un bâtiment défensif dans lequel loge le Centre d'interprétation des fortifications de Québec. Du XVIIᵉ au XIXᵉ siècle, des fortifications sont successivement érigées par les régimes français et anglais pour défendre la ville. Des falaises protègent naturellement la ville sur trois de ses côtés et cet avantage stratégique est exploité par les militaires. L'ensemble des fortifications constitue un système défensif complexe qui devait répondre à plusieurs exigences du terrain : un kilomètre seulement sépare le Cap Diamant (la Citadelle, # 101) et la Côte de la potasse (Parc-de-l'Artillerie, # 85), mais cette distance présente 73 mètres de dénivellation ! En 1693, les remparts sont faits de terre et de pieux, mais, dès 1712, les pieux sont remplacés par des pierres. Sous le régime anglais, le système défensif est amélioré, entre autres avec la construction de la Citadelle, incorporée aux fortifications. Les fortifications ont une longueur de 4,6 kilomètres et vous pouvez vous y promener à votre aise et même vous rendre sur les portes. Sachez que tous les remparts (ou presque...) sont de construction britannique. En fait, il reste peu de constructions datant du régime français. Fait particulier : aucun Canadien-Français n'a travaillé à l'édification des remparts, car les lois de l'époque obligeaient les travailleurs à suivre un apprentissage qui était donné seulement en Grande-Bretagne...

En entrant dans le Centre d'interprétation des fortifications de Québec, vous pourrez visiter la poudrière de l'Esplanade qui date de 1815. À cette époque, Québec compte une quinzaine de poudrières qui servent à entreposer stratégiquement la poudre (#32). Le centre intègre bien son ancienne vocation militaire à sa nouvelle vocation muséale. Il présente 300 ans d'histoire militaire sous trois régimes. Grâce à de très instructives visites guidées (soit « Québec ville fortifiée » ou « Québec ville défensive »), vous pourrez déambuler sur, sous et dans les fortifications pendant environ 90 minutes et en apprendre davantage sur les installations militaires de la ville grâce à un guide. S'il pleut, des maquettes, à l'intérieur du centre, sont utilisées pour vous faire faire virtuellement le même trajet. À ne pas manquer si vous êtes intéressé par cet aspect de l'histoire de la ville !

Informations : 418-648-7016 ou 1-800-463-6769
Horaire des visites guidées (en français) :
10h et 13h (du 25 juin au 4 septembre)
15h (Ier au 24 juin et du 5 septembre au 8 octobre)
Heures d'ouverture : tous les jours de 9h30 à 17h
(du 24 juin au 4 septembre)
du mardi au dimanche de 10h à 17h
(du 5 septembre au 23 juin)
Droits d'entrée : adultes 10 $ – aînés 7,50 $ – jeune
5 $ – famille/groupe : 20 $

99. Porte Saint-Louis

La porte Saint-Louis, construite en 1693 en même temps que la première porte Saint-Jean, est elle aussi détruite par la suite. La porte que vous voyez actuellement, conçue par William H. Lynn à la demande de Lord Dufferin (1826-1902), est inaugurée en 1878.

100. Monument pour les Conférences de Québec

Tout près de la porte Saint-Louis, à l'intérieur des murs, vous pouvez voir le Monument pour les Conférences de Québec, dévoilé en 1998. Il nous rappelle que la ville accueille, à deux reprises, Winston Churchill (1874-1965), Franklin Delano Roosevelt (1882-1945) et William Lyon Mackenzie King (1874-1950) durant la Deuxième Guerre mondiale (en 1943 et 1944). À cette occasion, la planification du Jour J est approuvée et on élabore les plans pour la reconstruction de l'Europe après la guerre.

Fin: Porte Saint-Louis

Édifice Price et la façade de pierres la plus étroite en Amérique (#15 et 75)

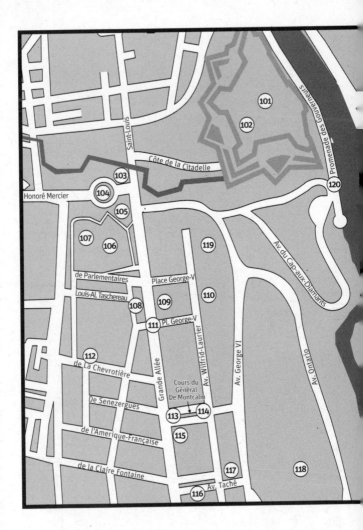

Saint-Louis

(101)

(102)

Côte de la Citadelle

Promenade des Gouverneurs

(103)

(104)

Honoré Mercier

(120)

(105)

(107) (106)

(119)

Av. du Cap-aux-Diamants

de Parlementaires

Place George-V

Louis-Al. Taschereau

(108) (109)

(110)

(111) Pl. George-V

(112)

de La Chevrotière

Grande Allée

Av. Wilfrid-Laurier

Av. George VI

Av. Ontario

De Senezergues

Cours du
Général
De Montcalm

(113) → (114)

de l'Amérique-Française

(115)

de la Claire Fontaine

(117)

(118)

Av. Taché

(116)

Circuit 7

La Citadelle, le Parlement et le Parc des Champs-de-Bataille

DÉPART : PORTE SAINT-LOUIS

101. La Citadelle

À partir de la rue Saint-Louis, prenez la Côte de la Citadelle et rendez-vous à l'entrée de la Citadelle. Au début du XIXᵉ siècle, des tensions entre l'Angleterre et les États-Unis poussent le régime britannique à fortifier davantage sa colonie. À Québec, on construit la Citadelle, qui est intégrée à l'ensemble des fortifications de la ville. Elle est construite entre 1820 et 1831 d'après les plans du colonel E.W. Dunford et intègre la vieille poudrière (1750) et la Redoute du Cap Diamant (1693), la plus vieille construction militaire de la ville. En forme d'étoile à la vauban, elle n'est accessible que par la porte Dalhousie. Elle constitue la plus importante fortification construite en Amérique du Nord par les troupes britanniques. Ironie du sort : ces fortifications n'ont jamais servi. La Citadelle est toujours active et est la résidence officielle du Royal 22ᵉ Régiment. Vous y trouverez aussi le Musée du Royal 22ᵉ Régiment (qui a le statut officiel de Musée des Forces armées canadiennes depuis 1974). Il présente des objets liés à l'histoire militaire de Québec.

À ne pas manquer : tous les jours pendant l'été (du 24 juin au début septembre), à 10h, a lieu la relève de la garde, une cérémonie militaire impressionnante avec musique régimentaire. Vous aurez l'occasion de voir Batisse le bouc, mascotte du Régiment ! Cette activité est comprise dans l'achat de votre billet de visite.

Des visites guidées sont offertes tous les jours, en français (vous devez absolument faire la visite guidée si vous voulez visiter les lieux : n'oublions pas que l'endroit est toujours en activité). Fait à noter : le stationnement est gratuit (accès par la rue Côte de la Citadelle), mais l'accès à l'entrée principale est un vrai labyrinthe !

Informations : 418-694-2815
Horaire des visites guidées (en français) : Variable
Heures d'ouverture :
Droits d'entrée : adultes 8 $ – Aînés 6,50 $ – étudiants 7 $

102. Résidence du gouverneur général du Canada

À la Citadelle, vous pouvez aussi visiter la résidence du gouverneur général du Canada, le représentant de la Reine d'Angleterre au Canada. Avant 1867, Québec était le lieu de résidence des gouverneurs de la colonie, mais, après la Confédération, Ottawa est devenu le nouveau lieu de résidence officielle du gouverneur. Pourtant, dès 1872, Lord Dufferin (1826-1902) reprend la tradition et s'installe à la Citadelle de Québec. Depuis, les gouverneurs y séjournent de manière officielle.

Les gouverneurs généraux sont présents depuis les débuts de la Nouvelle-France et représentent, avant 1759, le Roi de France et, depuis 1759, la Couronne britannique. Ils ont des responsabilités similaires à un chef d'État et occupent aujourd'hui une fonction plutôt symbolique (de représentation et de distinction), bien qu'ils soient toujours commandants en chef des Forces canadiennes (armée) et responsables de la convocation, la prorogation et la dissolution du Parlement. En 1943 et 1944, le Gouverneur général Athlone (1874-1957) y reçoit Churchill, Roosevelt et Mackenzie King lors des Conférences de Québec (# 100).

En 1872, la résidence n'est qu'un modeste bâtiment construit en 1831, mais de nombreux agrandissements et rénovations sont faits (par exemple, on ajoute une salle de bal et une verrière). Un incendie, en 1976, endommage le secteur est de la résidence, mais des restaurations sont entreprises et terminées en 1984. Si vous visitez la résidence, vous pourrez y voir des objets historiques, du mobilier, de l'art amérindien et des œuvres d'art d'artistes canadiens. Visites guidées seulement.

Informations : 418-648-4322 ou 1-866-936-4422

Heures d'ouverture : dimanche de 10h à 16h (mai et juin)
Tous les jours de 11h à 16h (24 juin au début septembre)
Samedi et dimanche de 10h à 16h (septembre et octobre)
Droits d'entrée : gratuit

103. Monument François-Xavier-Garneau

Après votre visite de la Citadelle, revenez sur vos pas sur la Côte de la Citadelle. Tout juste un peu avant la porte Saint-Louis, prenez le passage qui vous permet d'aller sous les remparts. Vous sortez maintenant de la vieille ville intra muros. De l'autre côté de la rue, remarquez d'abord un petit buste, celui de Gandhi, puis le monument François-Xavier-Garneau (#72). Cette sculpture est réalisée en 1912 et est l'œuvre de Paul Chevré. Récemment, on a volé la plume de bronze du monument et Garneau semble écrire avec du vent (a-t-il depuis retrouvé sa plume ?).

104. Fontaine de Tourny

En traversant l'avenue Honoré-Mercier vers le parc faisant face à l'Hôtel du Parlement, vous pouvez voir, au centre du rond-point, la Fontaine de Tourny, tout juste installée pour commémorer le 400ᵉ anniversaire de la ville de Québec. Elle a été offerte par la Maison Simons, une chaîne de magasins de vêtements (un de ses magasins se trouve sur la Côte de la Fabrique, # 78), propriété de la famille Simons, présente dans la ville de Québec depuis près de 200 ans. La Fontaine de Tourny de Québec est un des six exemplaires des fontaines que l'on peut voir de par le monde. Elle est conçue, au XIXᵉ siècle, par les artistes Alexandre Lambert Léonard et Mathurin Moreau et réalisée par la Maison Barbezat, célèbre fonderie du Val-d'Osne à Osne-le-Val, en France. Sa beauté est soulignée en 1855, lors de l'Exposition universelle de Paris, où elle mérite la médaille d'or. Pendant plus d'un siècle (1857-1960), elle était située au centre-ville de Bordeaux (France), ville jumelée à Québec. L'homme symboliserait un fleuve et les trois femmes, des rivières.

105. Place de l'Assemblée-Nationale

L'endroit où vous vous trouvez présentement était autrefois le *Cricket Field*, terrain utilisé par les troupes britanniques pour pratiquer leur sport. Juste à côté des fortifications, se trouvait aussi le *Skating Ring*, un bâtiment servant de patinoire l'hiver et de salle de spectacle et d'exposition l'été. En 1879, le gouvernement du Québec transfère le Parlement à l'extérieur des murs de la ville et choisit cet endroit pour construire ce qui est aujourd'hui appelé la Place de l'Assemblée-Nationale. Ce parc est réaménagé à partir de 1998 et de nombreuses sculptures et œuvres d'art l'agrémentent désormais. D'abord, l'imposant monument Honoré-Mercier, œuvre de Paul Chevré, réalisée en 1912 en l'honneur de ce premier ministre du Québec de 1887 à 1891. Un petit peu plus loin (à gauche, en faisant face à l'Hôtel du Parlement), vous pouvez voir le monument de Sir Louis-Hippolyte Lafontaine, chef du premier gouvernement responsable du Canada-Uni de 1848 à 1851. Finalement, vous apercevez le monument Louis-Joseph Papineau (1786-1871), chef du Parti canadien puis du Parti patriote à la Chambre d'Assemblée du Bas-Canada de 1815 à 1823 et de 1825 à 1838. En 1838, il prend part activement à la Révolte des Patriotes et est condamné à la pendaison, à laquelle il échappe en fuyant aux États-Unis.

Continuez votre promenade dans l'autre section du parc (à droite, en faisant face à l'Hôtel du Parlement), vous verrez le monument à Jean Lesage, œuvre d'Annick Bourgeau réalisée en 2000. Jean Lesage (1912-1980) est Premier ministre du Québec de 1960 à 1966, au moment de la Révolution tranquille, faisant de lui un acteur majeur de cette époque. S'y trouve aussi le monument à Robert Bourassa, œuvre de Jules Lasalle. Robert Bourassa est Premier ministre du Québec de 1970 à 1976 et de 1985 à 1994. On y voit aussi le monument à René Lévesque, œuvre de Fabien Pagé réalisée en 2001. René Lévesque (1922-1987) est Premier ministre du Québec de 1976 à 1985 et est le premier chef du Parti Québécois. Il est la figure de proue du mouvement indépendantiste du Québec. À côté, se trouve un « inuksuk », érigé en 2002 en signe d'amitié entre les peuples québécois et inuit.

106. L'Hôtel du Parlement

Le bâtiment principal, construit entre 1877 et 1886 par Eugène-Étienne Taché (1836-1912), est appelé l'Hôtel du Parlement et abrite l'Assemblée nationale du Québec. L'Assemblée nationale rassemble les 125 députés du Québec, la ville de Québec étant la capitale de la province depuis 1867. Le bâtiment comprend quatre ailes de 100 mètres de longueur environ au centre desquelles se trouve une cour intérieure. Sur la façade, 24 statues en bronze présentent des personnages historiques (fondateurs, explorateurs, amérindiens, etc.) ayant vécu avant 1867. Taché avait prévu un certain nombre de ces statues, mais, dès 1913, certains gouvernements décident d'en ajouter. Vous y verrez, entre autres, D'Iberville (1661-1706), La Vérendrye (1685-1749), De Salaberry (1778-1829)... Une grande fontaine placée devant l'entrée rend hommage aux Amérindiens grâce à deux sculptures créées par Louis-Philippe Hébert (1850-1917). *La halte dans la forêt* (1889), qui, en haut, représente une famille Abénakis et est exposée à l'Exposition universelle de Paris, en 1889. *Le pêcheur à la nigogue* (1891), en bas, représente un Amérindien en train de harponner des poissons grâce à cet outil appelé nigogue ou foëne. Remarquez, au-dessus de la porte principale, les armoiries du Québec ainsi que la devise de la province, *Je me souviens*, adoptée officiellement en 1939. Ce serait Eugène-Étienne Taché qui prend l'initiative d'inscrire cette devise sur le Parlement et elle sous-entendrait « je me souviens de mes racines, de mon histoire ». Le fleurdelisé, drapeau du Québec, flotte au-dessus du Parlement depuis le 21 janvier 1948, jour de son adoption, par le gouvernement de Maurice Duplessis, comme drapeau national (auparavant, c'était l'Union Jack britannique qui flottait au-dessus du Parlement). La croix blanche du drapeau symbolise la foi chrétienne et les lys, l'origine française du peuple québécois.

Vous pouvez visiter l'intérieur du Parlement en vous présentant à l'entrée des visiteurs (vers Grande Allée Est, porte 3). Des visites guidées en français sont offertes et vous pourrez aussi manger au restaurant *Le Parlementaire* dans un impressionnant décor de colonnades et de frises.

Informations : 418-641-2638
ou la ligne sans frais 1-866-DÉPUTÉS
Horaire des visites : lundi au vendredi de 9h à 16h30
(toute l'année) et les samedis et dimanches de 10h à 16h30
(du 24 juin au début septembre)
Droits d'entrée : gratuit

107. Édifice Pamphile-Le May et l'édifice Honoré-Mercier (et la suite de la Place de l'Assemblée-Nationale)

En continuant votre chemin vers le boulevard René-Lévesque, vous passerez devant l'édifice Pamphile-Le May, juste à gauche du Parlement (si vous regardez le Parlement). Pamphile Lemay (1837-1918) est un célèbre écrivain de Québec et a été, entre autres, le premier bibliothécaire au Parlement de Québec (après la Confédération). L'édifice, construit entre 1910 et 1916, abrite aujourd'hui la bibliothèque de l'Assemblée nationale. Créée en 1802, la bibliothèque connaît trois incendies majeurs (1849, 1854 et 1883) et un déplacement vers Ottawa en 1867, au moment de la Confédération. Pourtant, la bibliothèque a su préserver un fonds important et abrite aujourd'hui une très belle collection.

À côté de l'édifice Pamphile-Le May, se trouve l'édifice Honoré-Mercier (construit entre 1922 et 1924) qui abrite, entre autres, le bureau du Premier ministre. Le long de cet édifice (et entre le boulevard René-Lévesque), vous trouverez la Promenade des Premiers Ministres. De l'autre côté du boulevard le bâtiment moderne fait de verre est le Centre des Congrès de Québec. Inauguré en 1996, il comporte aussi un complexe hôtelier et commercial.

Revenez sur vos pas à travers le petit parc et longez l'Hôtel du Parlement par la rue Grande Allée Est. De l'autre côté de la rue, vous pouvez voir les Complexes H et J (1967-1972) qui abritent des bureaux gouvernementaux et qui sont surnommés le « calorifère » par les Québécois... Dans le parc longeant le Parlement, se trouvent les monuments à Maurice Duplessis (œuvre d'Émile Brunet réalisée en 1960) et à Adélard Godbout (œuvre de Michel Binette réalisée en 2000). Maurice

Duplessis, Premier ministre du Québec de 1936 à 1939 et de 1944 à 1959 (un record!), a un « règne » controversé : certains qualifient son époque de « Grande noirceur » (qui a mené, entre autres, à l'exode de plusieurs artistes et intellectuels vers la France), alors que d'autres lui reconnaissent de belles réalisations, comme l'électrification rurale. Quant à Godbout, il est Premier ministre du Québec en 1936 et de 1939 à 1944. C'est sous son gouvernement que les femmes obtiennent le droit de vote au Québec (1940).

108. Parc de la Francophonie

Dépassez la rue des Parlementaires et vous arriverez au Parc de la Francophonie (à votre droite). Ce parc commémore le 25ᵉ anniversaire de l'Agence de coopération culturelle et technique des pays ayant le français en partage, c'est-à-dire une cinquantaine de pays.

Un peu plus loin, le bâtiment dont la forme rappelle une botte de ski est le Loews le Concorde, un complexe hôtelier. Un restaurant rotatif, au sommet de l'immeuble, vous permet de déguster un repas, tout en ayant une vue panoramique sur la ville et la région.

109. Place George-V

À votre gauche et faisant face au Parc de la Francophonie, la Place George-V est consacrée à l'histoire militaire de la ville. Sur la place, à votre droite, le monument que vous voyez est dédié aux Voltigeurs de Québec, un régiment de milice francophone créé en 1862. Ce monument, installé en 1990, fait face, à votre gauche, au monument érigé en 1989 en souvenir des soldats du Royal 22ᵉ Régiment morts lors des guerres ou des missions de paix. À côté, vous pouvez aussi voir le monument Short-Wallick du nom de deux militaires qui ont perdu la vie en tentant de faire sauter une maison pour arrêter un incendie majeur dans la Basse-Ville (quartier Saint-Sauveur), le 16 mai 1889. La population a fait de ces deux hommes des héros et, en 1891, le monument, œuvre de Louis-Philippe Hébert (1850-1917), est érigé en leur mémoire. La femme, au pied des deux héros, symbolise la ville de Québec, éternellement reconnaissante pour leur sacrifice.

110. Manège militaire

Le beau bâtiment dans le fond est le Manège militaire, soit un bâtiment militaire consacré à des fonctions d'instruction et d'administration. Bâti sur le fief de Louis Rouer de Villeray (1629-1700), il a remplacé un premier bâtiment fait en bois et construit en 1854. Lors du départ des troupes britanniques, suite à la création du Canada (en 1867), le nouveau pays s'est doté de sept manèges en pierre, dont celui de Québec. Construit entre 1884 et 1888 selon des plans d'Eugène-Étienne Taché (1836-1912), le Manège loge les Voltigeurs de Québec, le plus ancien régiment francophone du Canada toujours en activité (1862). Le bâtiment abrite principalement une grande salle d'exercices et de cérémonies. Vous pouvez visiter le Musée des Voltigeurs à l'intérieur du Manège.

Informations : 418-648-4422
Heures d'ouverture : horaire variable

En allant vers le Manège militaire et en tournant vers la gauche, vous trouverez un bureau d'informations touristiques (sur l'avenue Wilfrid-Laurier) (voir #119).

111. Grande Allée Est

Continuez le long de la Grande Allée Est. De nombreux hôtels, restaurants ou cafés aux grandes terrasses sympathiques sauront vous accueillir sur cette rue surnommée « les Champs-Élysées de Québec ». La Grande Allée est ainsi nommée depuis le régime français alors qu'elle relie la mission jésuite de Sillery, fondée en 1637, au Vieux-Québec. Elle a porté d'autres noms (chemin Saint-Michel, route de Sillery, Chemin Saint-Louis), mais a retrouvé son nom d'origine. Jusqu'au milieu du XIXe siècle, l'élite de la ville est concentrée dans la vieille ville, mais, à partir de ce moment, un déplacement est opéré vers Grande Allée. Le déplacement du Parlement à l'extérieur des murs favorise aussi cet exode de l'élite. Remarquez l'architecture prestigieuse de plusieurs bâtiments, principalement construits au XIXe siècle.

112. Observatoire de la Capitale

À la rue De La Chevrotière, tournez à droite. En dépassant la rue Saint-Amable, à votre gauche, vous pouvez voir la Chapelle du Bon-Pasteur, inaugurée en 1868 et construite par Charles Baïllairgé (1826-1906) (sauf la façade actuelle qui date de 1909 et est l'œuvre de François-Xavier Berlinguet (1830-1916)). En vous rendant au numéro 1037 de la rue De La Chevrotière, vous verrez, à votre droite l'édifice Marie-Guyart (ancien Complexe G), nommé en l'honneur de la fondatrice du monastère des Ursulines (# 12). Ce bâtiment abrite, au 31e étage, l'Observatoire de la Capitale. À 221 mètres d'altitude, vous aurez une vue panoramique de 360° sur la ville de Québec, et au-delà. À même les fenêtres (vous ne sortez pas à l'extérieur), vous avez des panneaux indicatifs sur ce que vous pouvez voir. À ne pas manquer si vous voulez une vue imprenable de la ville et des remparts. Près de l'entrée de l'Observatoire, vers le boulevard René-Lévesque, se trouve la sculpture nommée 1 + 1 = 1 (1996) de Charles Daudelin, un artiste réputé du Québec.

Informations : 418-644-9841
Heures d'ouverture : tous les jours de 10h à 17h, sauf le lundi, du début de septembre au 23 juin
Droits d'entrée : adultes 5 $ – aînés et étudiants 4 $ – enfants : gratuit

113. Monument Montcalm

Revenez sur vos pas sur Grande Allée, traversez la rue et allez vers la droite. En continuant sur Grande Allée, vous passerez devant le complexe hôtelier Loews le Concorde. Juste à côté du Concorde, au coin du Cours du Général-De Montcalm, vous pouvez voir le monument dédié à Louis Joseph de Saint-Véran, Marquis de Montcalm (1712-1759). Cette sculpture œuvre de Léopold Morice et Paul Chabort réalisée en 1911, est érigée en l'honneur du général français ayant combattu sur les plaines d'Abraham en 1759 contre les troupes anglaises. L'ange de la renommée le couronne de lauriers alors qu'il vient de recevoir une blessure mortelle (# 118).

114. Monument de Gaulle

À l'autre extrémité du Cours, sur l'avenue Wilfrid-Laurier, se trouve un monument en l'honneur de Charles de Gaulle (1890-1970). Personne n'a oublié son débarquement du croiseur Colbert à Québec, à l'été 1967. On se souvient aussi de son parcours triomphal sur le « Chemin du Roy » et de son discours au balcon de l'Hôtel de ville de Montréal où il a lancé sa célèbre phrase : « Vive le Québec libre ! ». Cette sculpture en bronze est l'œuvre de Fabien Pagé et a été inaugurée en 1997. Revenez maintenant vers Grande Allée, au monument Montcalm.

115. Maison du Nunavik

À côté, remarquez l'« inuksuk », placé devant la Maison du Nunavik à Québec. Cette maison a comme objectif de faire connaître le Nunavik aux Québécois et aux touristes. Il donne de l'information sur le Nunavik (villages, nourriture, traditions, etc.), présente une exposition d'art inuit et offre même des visites commentées très instructives.

Informations : 418-522-2224
Heures d'ouverture : tous les jours de 11h à 13h et de 14h à 19h (de juillet à septembre)
lundi au vendredi, de 9h à 12h et de 13h à 17h (d'octobre à juin)

116. Tours Martello

Continuez toujours sur Grande Allée. Au numéro 425, vous pouvez voir la résidence de Louis-Alexandre Taschereau (1867-1952), premier ministre du Québec de 1920 à 1936. Quelques pas plus loin, vous arriverez à l'avenue Taché (à gauche) et à la rue de Claire-Fontaine (à droite). Du côté droit de la rue, vous pouvez voir l'ancien Couvent des Franciscaines de Marie, aujourd'hui converti en immeuble à appartements (388, Grande Allée). Tournez à gauche sur l'avenue Taché et vous verrez, à votre droite et juste avant d'arriver à l'avenue Wilfrid-Laurier, la tour Martello 2.

Faisant partie d'un ensemble de quatre tours, les tours Martello sont construites entre 1808 et 1812 par le Gouverneur James Henry Craig (1748-1812) pour se protéger d'une possible invasion des troupes états-uniennes (avant la construction de la Citadelle). C'est l'ingénieur Ralph Henry de Bruyères qui construit ces tours, mais elles ne seront jamais utilisées. Elles tiendraient leur nom de la tour au cap Mortella en Corse – devenue « Martello ». Les tours possèdent une poudrière à la base et une plate-forme en haut pour accueillir un canon rotatif. Alors que la tour Martello 1 surplombe la falaise au bord des plaines d'Abraham, la tour Martello 2 se trouve de l'autre côté du Parc des Champs de Bataille, devant vous. La tour 3 est démolie en 1905 pour permettre l'agrandissement d'un hôpital, mais la tour 4, amputée d'un étage en 1920, se trouve à l'angle des rues Lavigueur et Philippe-Dorval, un peu plus au nord. Des soupers mystères sont offerts dans la tour Martello 2 (une mise en scène vous fait jouer à trouver le traître parmi les invités). Ainsi, vous mangerez un repas typique d'un soldat anglais du XIXe siècle tout en participant à ce jeu dans un décor particulier. (Pour informations : 418-649-6157)

117. Jardin Jeanne-d'Arc

En passant la tranquille avenue Wilfrid-Laurier, à votre gauche se trouve le coquet petit jardin Jeanne-d'Arc aménagé par Louis Perron en 1938. Au milieu du jardin, une statue équestre de Jeanne d'Arc date aussi de 1938 et symbolise le courage des combattants, en sol canadien, de la guerre entre la France et l'Angleterre en 1759 et 1760. Elle est l'œuvre de la sculpteure new-yorkaise Anne Hyett Huntingdon. Traversez le jardin.

118. Parc des Champs-de-Bataille (Plaines d'Abraham)

Couvrant plus de cent hectares, le grand espace vert où vous vous trouvez est le Parc des Champs-de-Bataille. Créé le 17 mars 1908 selon les plans de l'architecte paysagiste Frederick G. Todd, cet immense parc comprend, entre autres, le jardin Jeanne-d'Arc, le parc des Braves et les célèbres plaines d'Abraham. Québec est assiégée à plusieurs reprises, mais c'est l'affrontement qui a lieu sur les plaines d'Abraham qui est le plus connu. En effet, en 1759, a lieu sur ce terrain la bataille décisive entre les troupes françaises, dirigées par le Marquis de Montcalm (1712-1759), et les troupes anglaises, dirigées par le général Wolfe (1727-1759). À cette époque, la Nouvelle-France connaît des difficultés et tente, pour une quatrième fois, de défendre la ville contre l'attaque des Anglais. Pendant tout l'été, les troupes anglaises bombardent la ville. Le 31 juillet, les Français gagnent la bataille de Beauport (près de la chute Montmorency), mais, dans la nuit du 12 au 13 septembre, 4000 soldats, dirigés par le général Wolfe, montent vers la Haute-Ville en déjouant les troupes françaises. Les Français, qui ont aussi 4000 hommes, engagent la bataille, mais la lutte ne dure même pas une heure, car les troupes françaises sont désorganisées. Montcalm est touché mortellement et meurt le lendemain, alors que Wolfe meurt le jour même de la bataille. Québec passe alors sous le contrôle de la Couronne britannique et le demeure jusqu'à la signature de la Confédération canadienne, en 1867. Aujourd'hui encore, le gouverneur général du Canada représente la monarchie britannique.

Le nom des plaines d'Abraham fait référence à Abraham Martin, un propriétaire terrien de la Haute-Ville vers 1646. Il n'habitait pas sur les actuelles terres des Champs de Bataille, mais le nom, employé depuis au moins la Conquête par la population, désignait l'ensemble des terres de la Haute-Ville et est demeuré dans l'usage.

Vous voyez que les Champs de Bataille sont un très grand parc, mais si vous avez le goût de marcher un peu, vous pouvez y visiter la terrasse Grey, le puits de Wolfe, le monument de Wolfe, la Fontaine du Centenaire, etc. Vous pouvez aussi vous rendre au Musée national des beaux-arts du Québec.

Musée national des beaux-arts du Québec

Inauguré en 1933 dans un premier bâtiment (à droite), le Musée national des beaux-arts du Québec intègre, en 1990, l'ancienne prison de Québec (1861-1971) (à gauche). Les deux édifices sont reliés par le Grand Hall. Le Musée possède une collection de plus de 22 000 œuvres, dont la plus importante collection d'art québécois du début de la colonie à aujourd'hui et un important fonds Jean-Paul Riopelle. Le musée présente une exposition permanente et des expositions temporaires.

Informations : 418) 643-2150 ou 1-866-220-2150
Heures d'ouverture : tous les jours de 10h à 18h et mercredi
jusqu'à 21h (du 1er juin au début septembre)
Fermé le lundi (début septembre au 31 mai)
Droits d'entrée : adultes 10 $ – aînés 9 $ – étudiants
5 $ – enfants : gratuit

119. Maison de la découverte des plaines d'Abraham

Marchez sur l'avenue George-VI pour retourner en direction de
la vieille ville. Vous passerez derrière le Manège militaire et, juste
à côté, vous verrez une entrée pour la Maison de la découverte
des plaines d'Abraham. Cet endroit offre à la fois un bureau d'information touristique et une exposition multimédia présentant
l'histoire des plaines d'Abraham. Appelée Odyssée, cette exposition est un bon survol de l'histoire de Québec, particulièrement sur la guerre de 1759. Vous pouvez combiner cette visite
avec d'autres activités telles que la visite de la tour Martello 1, le
Bus d'Abraham et la Maison Louis S. St-Laurent.

Informations : 418-648-4071
Heures d'ouverture : tous les jours de 10h à 17h
Droits d'entrée : adultes 8 $ – adolescents et aînés 7 $ – enfants : gratuit
Pour les quatre activités : adultes 10 $ – adolescents et aînés
8 $ – enfants : gratuit

120. Promenade des Gouverneurs

Retournez sur l'avenue George-VI en direction du Vieux-
Québec. Devant vous, vous voyez les murs ceinturant la
Citadelle. Rendu à l'avenue du Cap-Diamant, soit au bout de
l'avenue George-VI, tournez à droite, en remontant la côte et
en longeant les fortifications. Vous atteindrez le belvédère qui
offre une vue exceptionnelle sur le parc et le fleuve.

En allant sur votre gauche, à partir du belvédère, vous accé-
derez à une passerelle, la Promenade des Gouverneurs,
construite en 1960. Elle passe au bord du cap Diamant, sous la
Citadelle. La promenade est impressionnante et très agréable
et, en descendant ces 310 marches, vous retournerez à la
Terrasse Dufferin, au pied du Château Frontenac. Juste à
temps pour un petit apéro au Bistro du Château...

Séminaire de Québec (#28)

Circuits thématiques

Nous vous présentons des propositions de tours ayant une thématique particulière. Cette liste n'est pas exhaustive, mais présente les principaux attraits de chaque thématique. Vous n'avez qu'à suivre les numéros les uns après les autres lors de votre visite.

PATRIMOINE RELIGIEUX

1.   Place d'Armes
2.   Édifice Gérard-D.-Lévesque
9.   Église Unie Chalmers-Wesley
10. Sanctuaire Notre-Dame du Sacré-Cœur
12. Monastère des Ursulines
13. Monument de Marie de l'Incarnation
14. Musée des Ursulines et Centre Marie-de-l'Incarnation
17. Cathédrale anglicane de la Sainte-Trinité
24. Sculpture en hommage à Monseigneur de Laval
25. Basilique-cathédrale Notre-Dame de Québec
26. Centre d'animation François-de-Laval
27. - 28. - 29. Site historique du Séminaire de Québec
34. Statue de Monseigneur de Laval
52. Rue des Pains-Bénits
53. Église Notre-Dame-des-Victoires
71. Musée du Bon-Pasteur
76. Hôtel de ville
77. Place de l'Hôtel de ville
80. Monument de Marie-Catherine de Saint-Augustin
81. Monastère des Augustines de l'Hôtel-Dieu de Québec et Musée des Augustines

PRÉSENCE ANGLOPHONE

HISTOIRE MILITAIRE

ART ET ARTISANAT

La promenade des écrivains : tour guidé du Vieux-Québec à travers les auteurs qui y sont passés ou y ont habité. Le guide lit des extraits et présente les écrivains.

Durée : 2 heures
Départ : Les mercredis et samedis après-midi
Informations et réservations : 418-264-2772
Prix : 15 $

TOURS FANTAISISTES

La prophétie de Champlain : chasse au trésor dans les rues du Vieux-Québec mêlant fantaisie et faits historiques.

Durée : 2 heures environ
Départ : tous les jours de 10h à 20h (mi-juin à fin octobre)

Informations et réservations : 418-687-6096
Prix : adultes : 18 $ – 13 à 17 ans : 12 $ – 9 à 12 ans : 6 $ – 8 ans et
moins : gratuit

Les visites fantômes de Québec : un guide costumé vous raconte
les histoires de meurtres, de mystères et de fantômes à travers
les rues du Vieux-Québec.

Durée : 90 minutes
Départ : tour en français, tous les soirs à 20h30
(1er mai au 31 octobre)
Informations et réservations : 418-692-9770
Prix : adultes : 17,50 $ – étudiants et aînés : 15 $ – 10 ans et
moins : gratuit

DATES IMPORTANTES (FESTIVITÉS À QUÉBEC)

1er janvier : Jour de l'An
3 janvier : Bénédiction des « petits pains » de Sainte
Geneviève à l'église Notre-Dame-des-Victoires
Début février : Carnaval de Québec
Un dimanche au début d'avril : Pâques (vendredi précédent :
Vendredi saint)
21 mai : Journée nationale des Patriotes
24 juin : Fête nationale du Québec
1er juillet : Fête du Canada
Entre la fin juin et la mi-juillet : Festival d'été de Québec
Début du mois d'août : Les fêtes de la Nouvelle-France
Premier lundi de septembre : Fête du Travail
Un lundi au début d'octobre : Action de Grâces
Fin octobre : Course des Fantômes de Québec
31 octobre : Halloween
11 novembre : Jour du souvenir
25 décembre : Noël

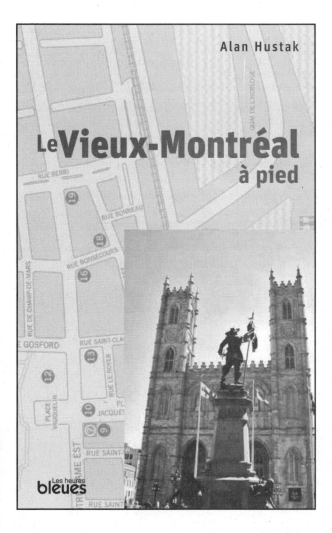